RG
P111u

32.95

Un homme heureux

DU MÊME AUTEUR
AUX ÉDITIONS DENOËL

Le Lièvre de Vatanen, 1989, 2002 (Folio n° 2462)
Le Meunier hurlant, 1991, 2002 (Folio n° 2562)
Le Fils du dieu de l'Orage, 1993 (Folio n° 2771)
La Forêt des renards pendus, 1994 (Folio n° 2869)
Prisonniers du paradis, 1996 (Folio n° 3084)
La Cavale du géomètre, 1996 (Folio n° 3393)
La Douce Empoisonneuse, 2001 (Folio n° 3830)
Petits suicides entre amis, 2003

Arto Paasilinna

Un homme heureux

ROMAN TRADUIT DU FINNOIS
PAR ANNE COLIN DU TERRAIL

DENOËL
& D'AILLEURS

Titre original :
Onnellinen mies
Éditeur original :
Gummerus Publishers, Helsinki,
Finlande

1

Un vieux pont de bois enjambait une rivière aux flots noirs. Les habitants de la commune l'appelaient la Tuerie, car une bataille y avait eu lieu en 1918 lors de la guerre civile, voici comment :

Une compagnie de mitrailleuse des blancs était arrivée du nord dans l'intention d'arracher le pont à la troupe de rouges qui le défendait. Les révolutionnaires, retranchés sur la rive sud derrière l'escarpement de la berge, avaient opposé pendant plusieurs heures une résistance féroce. Mais les attaquants avaient pris le contrôle du terrain grâce à leur canon automatique et le combat avait tourné en leur faveur.

Au soir de cette lointaine journée, les blancs avaient investi le pont dans un déluge de feu et de nombreux rouges avaient été faits prisonniers, tandis que d'autres y laissaient la vie. En ces instants décisifs, le chef de peloton des rouges, un certain Vornanen, s'était rué sur le pont, où il avait été fauché par un tir de mitrailleuse. La légende voulait qu'il ait crié, baignant là dans son sang, d'une voix toujours puissante :

« Les générations futures nous vengeront ! »

Selon certains, Vornanen avait aussi lancé avant de succomber :

« Les rouges mettront encore un jour cette bourgade à genoux, mais d'ici là le sang qui coule aujourd'hui aura été lavé cent fois ! »

Les blancs s'étaient emparés du pont, y avaient cloué le chef de peloton ensanglanté à la pointe de leurs baïonnettes, puis jeté son cadavre d'un coup de pied dans la rivière ; l'auteur de ce dernier geste avait paraît-il été le jeune héritier d'une grosse ferme du canton, un certain Jäminki. Le pont s'appelait donc depuis le pont de la Tuerie, et la rivière la Tuerie. Le courant avait emporté le corps de Vornanen, qui n'avait jamais été retrouvé, si tant est qu'on l'eût cherché. Au fil des ans, le souvenir de ce cruel événement s'était peu à peu estompé.

Dans les années trente, on s'était mis à organiser des bals sur le pont, et les jeunes gens du village s'y bagarraient parfois pour passer le temps, souvent même à coups de couteau.

Pendant la Seconde Guerre mondiale, le plus riche paysan du canton de Kuusmäki, Eemeli Jäminki, membre de la Garde civique, s'était chargé de garder le pont, fusil en bandoulière. Son statut de chef du comité municipal du ravitaillement le dispensait de combattre sur le front, mais il était suffisamment informé en matière militaire pour vouloir malgré tout mettre ses forces au service de la patrie et il avait donc surveillé les lieux pendant presque toute la durée du conflit. Il avait surtout peur que des parachutistes viennent incendier ou dynamiter le petit pont de bois, mais était aussi conscient d'un autre danger et scrutait souvent le ciel dans la crainte d'une attaque de bombardiers de l'Armée rouge. Jäminki avait même réclamé, en vain, une mitrailleuse antiaérienne. L'obsession d'une possible menace venue des airs avait, au fil de ces années de guerre, creusé de rides viriles le visage de l'agriculteur.

Une fois la paix revenue, le trafic s'était peu à peu accru sur le pont, tandis que la rivière, sous lui, continuait de charrier vers la mer d'infinies masses d'eau noire. Cette dernière, petit à petit, avait si bien rongé et fragilisé les structures en bois de l'ouvrage que seuls les camions mi-lourds pouvaient encore franchir sans danger son tablier pourrissant. C'est ainsi que l'on en vint à l'époque actuelle, en un jour de printemps où un individu de haute taille s'avança sur les vieilles planches.

C'était l'ingénieur des ponts Akseli Jaatinen.

L'homme, âgé de trente-six ans, s'accouda au garde-fou et regarda l'eau sombre. Par ce matin de la fin mars, une brume chargée de mystère montait de la rivière, dissimulant presque l'arrivant. Le soleil était cependant déjà assez haut pour que l'on puisse distinguer les détails de sa silhouette. Voici à quoi il ressemblait :

Une épaisse chevelure, un grand nez, un regard perçant. Ses larges mains nues reposaient sur la rambarde, il avait les jointures osseuses, les poignets solides, et l'on devinait sous son pantalon de proéminentes rotules. Il avait l'air déterminé, voire un peu inquiétant, car ses yeux braqués sur l'eau étaient profondément enfoncés dans leurs orbites. En le regardant, il ne serait venu à l'idée de personne de prétendre que ce grand escogriffe était beau, mais il n'avait pas non plus un visage désagréable. De toute évidence, ce n'était pas le premier venu.

À la gare routière du bourg, Jaatinen avait déposé sa valise à la consigne et serré la main du directeur des travaux communaux, Kainulainen, venu l'accueillir, tandis que les villageois observaient avec curiosité l'homme qui leur arrivait là : un ingénieur qui au lieu de rouler en voiture circulait en autocar tel un photographe ambulant sans le sou. La tenue de Jaatinen avait tout particulièrement retenu l'attention des badauds. Rien en elle ne révélait son statut : il portait une veste de sport verte négligemment ouverte sur une chemise en flanelle à carreaux. Pas de cravate, pas de costume… chaussé de bottes de caoutchouc à haute tige, avec pour compléter le tout un pantalon froissé.

« On ne croirait pas que cet homme-là est ingénieur », dit la patronne du café en le regardant s'éloigner du bourg en direction du pont de la Tuerie.

Ce n'était pas par hasard que ce personnage quelque peu étrange se trouvait là. Après être resté un moment accoudé au garde-fou, il s'en écarta, parcourut le pont sur toute sa longueur, sauta au bas du remblai et descendit sous le tablier. Il examina les infrastructures de l'ouvrage, expédia d'un coup de pied dans l'eau un caillou surgi devant sa botte, Dieu sait pourquoi. Il alluma une cigarette de tabac brun, s'assit sur la culée en bois pour la fumer. Mais il ne resta pas longtemps sous le pont dans le froid de la brume matinale. Il se leva, cracha son mégot par terre, l'écrasa d'un coup de talon et remonta d'un bond sur le tablier.

Quand neuf heures sonnèrent, d'autres hommes se présentèrent sur les lieux. C'était des ouvriers finlandais ordinaires, en tenue de travail. Jaatinen les accueillit, demanda à chacun à quoi il avait été employé auparavant, sur le ton d'une conversation entre camarades.

À dix heures, il y avait déjà plus d'une vingtaine d'ouvriers sur le pont et sur la berge de la rivière. Peu avant midi, on vit arriver de Kuusmäki un lourd semi-remorque chargé d'une pelle mécanique et d'un bungalow de chantier. Il fut bientôt suivi d'un second camion transportant une autre baraque, plus petite, et divers équipements. Jaatinen guida les véhicules vers les emplacements de son choix, on les déchargea et ils repartirent. Des charpentiers posèrent les abris préfabriqués sur des cales en bois, on vérifia leur aplomb, et l'on put commencer à y transbahuter des meubles. Jaatinen s'installa dans la plus petite des deux baraques, on y porta une calculatrice et une machine à écrire, ainsi qu'un siège à roulettes. Le reste du mobilier était fixe : une armoire de classement contre un mur, une couchette contre l'autre, avec à côté un poêle à mazout et une bonbonne de gaz. Un précédent maître d'œuvre avait accroché au-dessus du lit des photos de femmes nues découpées dans des journaux. Jaatinen les arracha et les jeta en boule dans la corbeille à papier, disant :

« Pas de pin-up ici. »

Une fois son bureau en ordre, il réunit les hommes au bord de la rivière et leur tint un bref discours :

« Je suis l'ingénieur des ponts Akseli Jaatinen et c'est moi le responsable de ce chantier. Nous allons construire à côté de ce vieux pont un nouvel ouvrage plus grand en béton et, comme vous le savez, les travaux dureront jusqu'à l'automne prochain. Ensuite, tout le monde sera remercié, que ce ne soit pas une surprise. Vous devriez normalement être payés à l'heure, mais je vais essayer d'organiser le travail à la tâche chaque fois que possible. Choisissez un délégué, pour pouvoir dire ce que vous avez à dire en cas de conflit. Ce chantier relève du service des Ponts et Chaussées, que je représente ici. Vous êtes sous contrat à partir d'aujourd'hui, mais on ne va pas se mettre à trimer tout de suite, on va d'abord se familiariser un peu avec les lieux. Demain à huit heures, on commencera à déblayer la terre des berges, on vérifiera les charges et une équipe attaquera la construction de la route menant au nouveau pont. Je peux être très chiant si on m'en donne l'occasion, mais ce n'est encore arrivé sur aucun de mes précédents chantiers. J'ai construit plus de trente ponts, et quelques dizaines de kilomètres de routes par-dessus le marché, ce qui veut dire que j'ai pas mal d'expérience. Alors croyez-moi sans protester quand je dis quelque chose, ou c'est mon poing dans la gueule. »

Les ouvriers rirent.

« Il a l'air réglo », dirent-ils de Jaatinen quand il eut le dos tourné.

Quelqu'un alluma un feu au bord de l'eau. Les hommes s'étendirent nonchalamment autour, firent du café, grillèrent des saucisses et casse-croûtèrent. Dans l'après-midi, le directeur des travaux communaux Kainulainen débarqua sur le chantier. Il vit les ouvriers allongés à ne rien faire autour du feu, certains laissaient tremper leurs pieds nus dans la rivière. Il alla parler à Jaatinen dans son bungalow, lui remit quelques liasses de documents, bavarda un moment puis rentra au bourg.

À la mairie, Kainulainen raconta ce qu'il avait vu à la Tuerie :

« Ils étaient là à glander. Ce n'est pas comme ça qu'on aura un nouveau pont à l'automne. Ce type est incroyable : fraterniser dès le premier jour avec les ouvriers ! »

Les employés municipaux froncèrent les sourcils. L'un d'eux fit remarquer que la commune n'avait pas de chance d'hériter d'un homme pareil pour diriger le chantier, après des décennies d'attente.

« On voit de tout, de nos jours », se plaignit-on.

2

Le lendemain, les travaux débutèrent dès le matin. Les terrassiers commencèrent à déblayer le sol des berges, secondés par une petite pelle mécanique, et l'on vérifia les charges. Deux camions emportèrent la terre retirée. Vers midi, on dynamita pour la première fois la roche à l'emplacement de la future route.

Jaatinen était content, l'air sentait le printemps et le nouveau chantier démarrait bien. Les ouvriers, de leur côté, travaillaient avec entrain. Ils avaient choisi comme délégué principal un certain Manssila, charpentier, quinquagénaire et conseiller municipal communiste. Ce dernier raconta à l'ingénieur que l'hiver avait été difficile, les hommes de Kuusmäki avaient été durement éprouvés par le chômage. Ils avaient attendu avec impatience la mise en chantier du nouveau pont de la Tuerie et se réjouissaient maintenant d'avoir enfin de la besogne et une paye garantie pour un certain temps.

« La municipalité n'a fourni de travail à personne, cet hiver », expliqua Manssila. Il ajouta que le directeur des travaux Kainulainen et le maire Jäminki avaient annoncé aux chômeurs, aux alentours de Noël, que la commune n'avait pas les moyens de financer des chantiers.

« Du coup, on est allés en délégation à Helsinki et on a finalement obtenu la construction de ce pont aux frais de l'État. Mais beaucoup d'hommes sont restés chez eux tout l'hiver. »

Les travaux avançaient vite, car Jaatinen, sachant que les ouvriers avaient été privés d'emploi pendant longtemps, leur comptait de nombreuses tâches au forfait. Tous s'activaient avec ardeur et, une semaine après la mise en route du chantier, les charpentiers assemblaient déjà les premiers coffrages. Le directeur des travaux communaux Kainulainen venait de temps à autre observer les progrès de l'ouvrage, surveillance qui n'entrait pourtant nullement dans ses attributions. La joyeuse activité du chantier l'irritait de toute évidence, alors qu'il s'était plaint le premier jour de la manière dont le nouvel ingénieur laissait les ouvriers fainéanter au bord de l'eau. L'énergie maintenant déployée lui ôtait tout motif de récrimination. Kainulainen regardait Jaatinen avec aversion et racontait au village qu'on était passé d'un extrême à l'autre, à la Tuerie : d'abord on roupillait, ensuite on s'esquintait.

« Quand j'y suis allé hier soir, ce Jaatinen était assis avec Manssila dans sa baraque de chantier. Ils puaient tous les deux l'alcool. La direction départementale des Ponts et Chaussées nous a envoyé un ivrogne, un ingénieur, en plus, alors qu'un directeur des travaux aurait largement suffi. Et il copine bien trop avec les ouvriers, ça ne présage rien de bon. »

Jaatinen constata le zèle avec lequel Kainulainen surveillait le chantier. Une fois, il lui lança même d'un ton aimable :

« Elle te passionne, la construction de ce pont. »

Par cette remarque, l'ingénieur espérait faire discrètement comprendre au directeur des travaux que ses incessantes visites n'étaient pas forcément les bienvenues. Kainulainen suivait de si près l'avancement du projet qu'il tournait sur le chantier autour des ouvriers, leur barrait souvent le passage et cherchait à tout bout de champ à leur donner des conseils. Ces derniers étaient le plus souvent mal inspirés, comme on pouvait le constater chaque fois que Jaatinen était ensuite contraint d'intervenir pour faire appliquer ses propres méthodes.

« Tout chantier a ses problèmes, glissa Manssila à Jaatinen.

– Pourvu qu'il ne tombe pas dans la Tuerie, répondit l'ingénieur en regardant Kainulainen se percher sur des échafaudages instables.

– Ce serait bien fait pour lui », marmonna le charpentier.

On entendit du côté de la rivière un cri suivi d'un plouf sonore et, quand les deux hommes regardèrent là où le directeur des travaux se tenait un instant auparavant, il n'y était plus. Il avait bel et bien dégringolé dans l'eau. La besogne s'interrompit, on courut sur la rive pour voir le courant emporter Kainulainen. Engourdi par la froideur printanière de la Tuerie et engoncé dans ses épais vêtements, il ne réussit pas tout de suite à regagner le bord et disparut derrière la pile en bois du vieux pont. Les ouvriers le suivirent vers l'aval. Ils ne semblaient pas excessivement pressés de venir à son secours, crut remarquer Jaatinen. De toute évidence, les ouvriers du canton ne portaient pas le directeur des travaux communaux dans leur cœur.

« Et si on le tirait de là ? », dit enfin Manssila, et il lança une corde dans la rivière. Kainulainen s'en saisit et parvint bientôt sur la berge. Ses lourds habits dégouttaient d'eau, son menton tremblait de froid, sa main était crispée sur sa mallette noire qu'il n'avait pas voulu lâcher, ce qui expliquait ses difficultés à nager.

Kainulainen s'ébroua, escalada le talus, ouvrit sa serviette et en vida l'eau sur le sol. Une grosse liasse de documents mouillés, des socquettes rouges détrempées et une cravate se répandirent sur l'herbe. Le directeur des travaux essora ses chaussettes et étala ses papiers sur la berge, d'où le vent les éparpilla ; les ouvriers durent courir derrière, les documents se tachèrent de boue sans pour autant avoir l'air plus secs. Tout le chantier s'était rassemblé en un grand cercle autour de Kainulainen et le regardait s'agiter. Il se rendit enfin compte du comique de la situation, ramassa ses papiers, les rangea en vrac avec ses chaussettes, claqua le couvercle d'un geste si furieux qu'il se pinça le doigt, jura, referma sa mallette.

« Vous avez monté cet échafaudage exprès pour que je tombe dans la rivière », grogna-t-il en direction des ouvriers qui l'entouraient. Puis il lança un regard noir à Jaatinen.

« Ce n'était pas délibéré, dit ce dernier. Mais ce genre d'accident arrive souvent quand des personnes extérieures au chantier sont présentes. »

« Des personnes extérieures au chantier. » L'expression courrouça Kainulainen au plus haut point. Trempé, sa mallette mouillée sous le bras, il se dirigea vers sa voiture, y monta, claqua la portière et s'en fut. On ne le revit plus au pont de la Tuerie.

À la mairie, le directeur des travaux communaux fit le tour des bureaux pour raconter comment on l'avait traité sur le chantier. On l'avait à l'évidence volontairement précipité dans l'eau glacée, il avait fait l'objet d'allusions insultantes, le but était à coup sûr de le chasser de la Tuerie. Et pourquoi ? Il était persuadé qu'on voulait l'écarter afin que l'incompétence de l'ingénieur et les bévues de ses ouvriers ne soient pas découvertes et demeurent pour l'éternité recouvertes d'une chape de béton muette, à l'abri de toute publicité. Les gouttes d'eau tombant des vêtements de Kainulainen mouillaient les couloirs de la mairie, mais il était trop énervé pour s'en préoccuper. La femme de ménage le suivait d'une pièce à l'autre, un balai-éponge à la main, afin de nettoyer les traces. Les employées gloussaient, comme toujours en pareil cas.

Le maire et le directeur des travaux communaux, réunis dans le bureau de ce dernier, n'en parlèrent que plus sérieusement de Jaatinen. En conclusion de leurs palabres, ils décidèrent de rapporter les faits à la direction départementale des Ponts et Chaussées. Jäminki téléphona :

« Le premier jour, sur ce chantier, on n'a fait que roupiller et griller des saucisses, et maintenant on s'y démène avec tant d'énergie que nous soupçonnons une entourloupe. Qui sait si cet ingénieur ne triche pas sur la ferraille du béton, pour la vendre ailleurs à son compte... Et ils ont même flanqué à l'eau notre directeur des travaux communaux. Pas plus tard que tout à l'heure. »

La direction départementale écarta les doléances en invoquant l'excellente réputation de l'ingénieur ; les responsables municipaux n'avaient pas à s'inquiéter. Les ponts de Jaatinen étaient ce qui se faisait de mieux en Finlande, voire dans le monde...

« Ça puait aussi l'alcool, là-bas. Et cet ingénieur fraternise avec les ouvriers, on l'a même vu une fois avec un communiste local, dont je tairai le nom, qui est délégué principal sur le chantier de la Tuerie ; ils étaient assis dans le bungalow de Jaatinen, l'air copains comme cochons et sentant tous les deux la vodka. Est-ce que ça ne devrait pas vous inquiéter un peu ? »

La direction départementale répondit :

« Écoutez, Jäminki, ce chantier relève des Ponts et Chaussées et nous en assumons l'entière responsabilité. Y compris en ce qui concerne les bonnes mœurs, et nous irons nous-mêmes renifler les haleines si besoin est. Ne vous mêlez pas d'affaires qui ne sont pas de votre ressort. »

Après cette infructueuse conversation, les édiles marmonnèrent :

« Tout le monde cherche à nous humilier.

– Ils nous ont vraiment envoyé une pourriture. »

3

La baraque de chantier de Jaatinen était dépourvue de tout confort. Il tenta de trouver un gîte plus accueillant dans le centre de Kuusmäki, mais personne ne voulut lui louer de chambre. On aurait pu croire que Jäminki avait interdit à ses administrés d'héberger l'ingénieur des ponts. Quoi qu'il en soit, ce dernier se heurta dans le bourg à une telle pénurie de logements qu'il dut continuer de vivre dans son bungalow malpropre et exigu.

Comme il n'y avait aucune possibilité de se laver sur le chantier, Jaatinen prit l'habitude de se baigner matin et soir dans la Tuerie. Il entrait nu dans la rivière aux eaux noires, un savon à la main, et s'enduisait de mousse de la tête aux pieds, barbotant dans le courant tel un hippopotame. Souvent, des passants s'arrêtaient sur le pont pour regarder sa haute silhouette s'ébattre au milieu des flots. Dans ces moments, Jaatinen poussait en général de puissants mugissements afin d'ajouter à la théâtralité de sa baignade.

Un après-midi, une petite voiture noire vint s'arrêter sur le pont. Le ministre du culte de la paroisse de

Kuusmäki, un petit homme rondouillard, en descendit. Il regarda un moment Jaatinen qui meuglait dans la rivière, puis lui cria :

« Je suis le pasteur Roivas, bonjour, ingénieur Jaatinen !

– Bonjour, bonjour, monsieur le pasteur ! »

L'ecclésiastique expliqua ensuite, d'un ton poli mais ferme, que plusieurs de ses paroissiens s'étaient offusqués de la manière dont l'ingénieur veillait à son hygiène corporelle : il ne leur paraissait pas convenable qu'il se lave nu dans un lieu public, qui plus est matin et soir, et en plein jour. Il serait bon de porter au moins un caleçon de bain, plaida le pasteur Roivas.

« Je pense bien sûr surtout à mes paroissiennes, et plus particulièrement à la jeunesse. »

Jaatinen répondit que le travail qu'il faisait sur le chantier du pont était salissant, il ne servait à rien d'aller se baigner en maillot de bain, après une dure journée de labeur il lui fallait se récurer à fond.

« La paroisse de Kuusmäki ne considère bien sûr pas qu'il ne faille pas être propre, tant de corps que d'esprit, mais je vous conseillerais malgré tout de vous vêtir pour entrer dans l'eau, ou peut-être pourriez-vous utiliser des… qu'est-ce que c'est déjà… ah oui, des lingettes.

– Je n'ai guère vu de femmes par ici, dit Jaatinen.

– Peut-être pas encore, je ne sais pas… mais ce pont est ouvert à tous et il y circule donc des personnes des deux sexes. Il est inadmissible que vous vous laviez nu dans cette rivière et empêchiez peut-être ainsi les honnêtes femmes d'utiliser cette route… je crois savoir que plusieurs d'entre elles se sont déjà interdit de passer par ici depuis que l'on sait au village que vous vous exhibez dans une tenue indécente. Ce n'est pas parce que nous vivons dans une ère de débauche que je dois permettre à ma paroisse de s'associer au relâchement universel des mœurs.

– Je ne suis pas sûr que l'affaire soit vraiment aussi dramatique, répliqua Jaatinen de sa rivière.

– Peut-être ne vous rendez-vous pas bien compte de ce que vos actes peuvent avoir de scandaleux. Je connais plusieurs de mes paroissiennes qui seraient profondément choquées de vous voir dans cet appareil. Sur vos chantiers, en compagnie d'hommes frustes, vous êtes apparemment habitué à cette... impudeur, disons, et vous ne saisissez sans doute pas toute la gravité de la situation. Mais je dois me montrer très strict, je ne peux pas accepter un tel outrage public aux bonnes mœurs. »

Le pasteur Roivas réfléchit un instant avant de continuer :

« Dieu nous a créés à son image, mais cela ne veut pas dire que l'on doive en général dévoiler cette image dans des lieux publics. »

Jaatinen sortit de la rivière. Il regarda son anguleuse image de Dieu, la sécha et la vêtit d'une chemise et d'un pantalon. Quand elle fut couverte, il cria au pasteur :

« Écoutez, Roivas. Vous êtes depuis tout à l'heure en infraction au code de la route. Il est interdit de stationner en voiture sur ce pont. Vous entravez la circulation. Allez-vous-en tout de suite ou je vous dénonce à la police. En ce qui concerne les pratiques religieuses, je vous signale que je n'appartiens pas à votre paroisse, ni d'ailleurs à aucune autre. Je suis inscrit sur les registres laïques de l'état civil, et si vous avez à vous plaindre de mes mœurs, vous n'avez qu'à en référer aux autorités publiques. »

Jaatinen n'avait pas eu l'intention d'être tout à fait aussi désagréable mais ces paroles blessantes ne lui en échappèrent pas moins.

Le vieil homme d'Église en fut profondément outré. Il reprit sa voiture, marmonnant entre ses dents : « Que Dieu nous venge… c'est inouï. »

Le pasteur Roivas songea que le monde avait décidément sombré dans l'obscénité. Il y a encore quelques décennies, personne n'aurait osé se comporter de cette façon. Dans les années trente, quand l'ordre régnait dans le pays, on aurait fait taire ce malotru sans autre forme de procès. Le pasteur se remémora sa jeunesse, et un épisode des années vingt lui revint à l'esprit. À la suite d'un pari, alors qu'il était étudiant à Helsinki, il avait couru nu de l'hôtel *Kämp* au café *Kappeli,* sur l'Esplanade… mais il faisait nuit, heureusement… et il s'était depuis, par la prière, mis en règle avec le Père céleste, on ne pouvait pas comparer cette lointaine affaire à celle d'aujourd'hui ; l'ingénieur n'était plus un enfant mais un homme adulte, de toute évidence. C'était à faire frémir.

4

Tout au long du printemps, les travaux avancèrent à grands pas. Jaatinen put constater que les hommes de Kuusmäki étaient loyaux et travailleurs, peut-être à première vue modestes et taciturnes, mais efficaces. Le chantier de la Tuerie n'était pas assez important pour avoir sa propre cantine et les ouvriers préparaient donc eux-mêmes leur repas pendant la pause, se nourrissant de casse-croûte autour de feux de camp, au bord de la rivière ; Jaatinen se joignait à eux et, pendant ces instants de repos, apprenait à mieux connaître son équipe.

Manssila paraissait être le travailleur le plus consciencieux du chantier. Il était conseiller municipal et délégué syndical. C'était un homme aux muscles secs dont le visage ridé ne s'éclairait que rarement d'un sourire, et il n'était guère bavard. Il raconta cependant à Jaatinen l'histoire du pont de la Tuerie et de la mort de Vornanen. Il s'avéra que le père de Manssila avait lui aussi été blessé lors de cet épisode de la guerre civile.

« Nous autres communistes, comme le reste de la gauche, d'ailleurs, sommes durement opprimés depuis, dans ce village. Tu n'imagines pas, Jaatinen, comme la population de Kuusmäki peut avoir la haine tenace. Tu ferais bien de te méfier de ces notables, toi aussi. »

Il y avait parmi les ouvriers un autre personnage intéressant, Pyörähtälä, un jeune célibataire, grand et maigre, joyeux drille, toujours le rire aux lèvres. Jaatinen se lia tout de suite d'amitié avec lui. Il était le plus intelligent du lot, sans pour autant être ni très zélé ni très soigneux, mais a-t-on jamais vu ce genre d'homme se tuer à la tâche ?

Le chantier vivait sa vie, allait son chemin tel un train. Les travaux se poursuivirent dans l'enthousiasme et la bonne humeur jusqu'à un mardi après-midi de juin où il se produisit soudain un brutal changement d'atmosphère.

Dès le matin, Jaatinen avait noté que Pyörähtälä ne s'était pas présenté en même temps que les autres ouvriers. Ceux-ci avaient semblé parler de lui à voix basse, mais l'ingénieur n'avait pu saisir ce qu'ils disaient. Peu à peu, le travail avait cependant commencé.

Deux heures plus tard, Pyörähtälä n'avait toujours pas donné signe de vie. Jaatinen alla demander à Manssila s'il savait ce qui le retardait, peut-être était-il souffrant.

« Il n'est pas malade… il a à faire. »

Après le déjeuner, Pyörähtälä arriva enfin sur le chantier. Son apparition fit sensation, les hommes se rassemblèrent autour de lui pour discuter. Pyörähtälä expliqua quelque chose, l'air fébrile, écarta les bras d'un geste d'impuissance, les mines s'allongèrent. Puis chacun retourna travailler, reprenant sa tâche à contrecœur, tout entrain évanoui. Jaatinen, surpris et inquiet, observait la situation par la fenêtre sale de sa baraque de chantier. Il décida enfin de demander au moins à Pyörähtälä pourquoi il avait pris sa matinée.

« J'avais des choses à régler au bourg. Tu peux décompter les heures de ma paye, je me préparais d'ailleurs à te le dire. »

Un moment plus tard, le délégué principal Manssila vint voir Jaatinen dans son bungalow.

« Nous allons tenir une réunion d'ouvriers. Nous en avons pour une heure. »

Les hommes arrêtèrent leurs machines, s'éloignèrent de la rivière pour aller s'asseoir en cercle à la lisière de la forêt. Jaatinen regardait les événements de sa fenêtre, cette fois réellement préoccupé. Pourquoi cette agitation ? Avait-il, d'une façon ou d'une autre, heurté ses ouvriers ? Il n'avait jamais eu sur ses chantiers de grèves dues à des frictions locales. Serait-ce la première fois ?

Sale affaire.

Les hommes tenaient conseil à l'orée du bois. Jaatinen voyait de loin que la question était grave, à en juger par leurs mimiques. Il avait envie d'aller demander où était le problème, mais il aurait été malvenu de s'immiscer dans une réunion d'ouvriers. Il ne pouvait qu'attendre, impuissant, ce qui en résulterait.

Les palabres prirent fin. Manssila vint seul trouver Jaatinen dans sa baraque. Il s'assit. Quand l'ingénieur lui demanda sur quoi la réunion avait porté, il dit :

« On a décidé de démissionner. Toute l'équipe. »

Démissionner ! Jaatinen n'y comprenait rien. Il voulut savoir pourquoi les hommes n'avaient pas discuté avec lui avant de prendre une décision aussi insensée. Les Kuusmäkiens n'avaient-ils pas assez souffert du chômage ? Les travaux ne s'étaient-ils pas déroulés sans problème jusque-là ?

« Ça n'a rien à voir avec toi. Je vais t'expliquer un peu. »

Manssila exposa la situation. Cet hiver, les chômeurs de Kuusmäki avaient été contraints de prendre un crédit solidaire à la banque locale. La dette n'avait été qu'en partie épongée, l'échéance avait été prorogée en versant des intérêts. Mais la banque refusait maintenant tout nouveau délai, et la prochaine paye ne tomberait que dans une semaine. L'échéance, en revanche, était pour après-demain. Toute la somme devait être remboursée d'un coup. Manssila savait que les Ponts et Chaussées n'accorderaient pas d'avance à tous les ouvriers du chantier à ce stade des travaux. La seule solution était donc que chacun demande son compte afin d'essayer de régler la dette. Ensuite, si leur employeur n'y voyait pas d'inconvénient, les ouvriers reprendraient le travail en hommes neufs.

« À combien se monte votre traite ?

– Il y en a encore pour près de 7 000 marks. »

Jaatinen téléphona sur-le-champ à la direction départementale des Ponts et Chaussées. Il expliqua la situation, demanda qu'on lui envoie la somme nécessaire par virement télégraphique.

« Si je n'ai pas cet argent, le chantier va fermer. Voilà qui coûterait cher. »

La lourde locomotive bureaucratique ne voulait rien savoir d'un tel arrangement. Jaatinen cria dans le téléphone, lutta pied à pied. Enfin, après avoir exposé son cas à divers échelons, il remporta la victoire à l'arraché. Il put informer la banque que la dette des ouvriers du pont de la Tuerie serait remboursée à temps. Il apprit que c'était Jäminki, qui siégeait au conseil d'administration de l'établissement, qui avait suggéré au directeur de ne pas proroger la traite collective. En raison de difficultés financières.

Une fois l'affaire arrangée, Jaatinen sortit de sa baraque. Les hommes étaient assis sur la berge, l'air sombre, mais leurs visages s'éclairèrent quand il leur annonça le résultat de ses négociations téléphoniques :

« Vous aurez tous votre avance. »

Manssila dit :

« On n'avait même pas imaginé que ce soit possible. Tu es un chic type, Jaatinen. »

Les travaux reprirent avec leur efficacité première. Le nuage noir de l'échéance de la dette s'était dissipé. Les ouvriers chantaient à tue-tête sur le chantier.

5

En tant que délégué principal du chantier du pont de la Tuerie, Manssila reçut peu avant la Saint-Jean une invitation pour le moins étrange. Jäminki et Kainulainen souhaitaient parler « affaires » avec lui à la mairie.

À son arrivée, Manssila fut conduit dans la salle de réunion du conseil municipal, où le café était servi pour trois. Jäminki et Kainulainen attendaient déjà leur visiteur, qui entra avec méfiance.

Le maire et le directeur des travaux communaux se levèrent poliment, offrirent une chaise à Manssila. Jäminki lui tapa amicalement sur l'épaule et dit avec un sourire engageant :

« Tiens, Manssila, prends du gâteau. Kainulainen, verse donc du café à notre charpentier.

– Nous avons là le plus grand meneur de grève de Kuusmäki », dit Kainulainen, et Jäminki hocha la tête d'un air entendu : « Je sais, oui, je sais même très bien. »

Manssila prit du gâteau, but une gorgée de café. Il s'interrogeait en même temps : pourquoi pareille amabilité ?

Jäminki prit la parole :

« Il paraît qu'on ne chôme pas, à la Tuerie… on pourrait même dire qu'on s'y tue au travail, n'est-ce pas, Manssila ?

– C'est sûr qu'on mouille nos chemises.

– C'est bien ce qu'il nous semblait, se réjouit Kainulainen. Et c'est à cet ingénieur Jaatinen que sont dues ces cadences infernales ?

– C'est lui qui fait tourner le chantier, oui, concéda Manssila.

– Est-ce qu'un rythme pareil n'est pas un peu exagéré, de nos jours… on ne devrait pas laisser un type de la ville nous faire trimer comme des esclaves. Vous ne pourriez pas mettre un terme à ces méthodes, sur votre chantier ? »

Il s'avéra, au fil de la conversation, que Jäminki et Kainulainen auraient aimé voir chanceler la position de Jaatinen – si les ouvriers de la Tuerie exigeaient que l'ingénieur soit relevé de ses fonctions de maître d'œuvre, le travail sur le chantier se normaliserait et l'atmosphère générale du bourg y gagnerait en sérénité. Kainulainen exprima finalement l'affaire sans détour :

« Est-ce que tu ne pourrais pas, Manssila, en tant qu'agitateur patenté, bloquer le chantier de la Tuerie, histoire de nous débarrasser une bonne fois pour toutes de ce Jaatinen… parce que si vous vous mettiez en grève, la direction départementale des Ponts et Chaussées serait obligée de le remplacer. On ne peut pas interrompre les travaux trop longtemps, juste quand le bétonnage devrait commencer, ça reviendrait trop cher à l'État. Qu'en dis-tu ?

– La municipalité verrait vos revendications d'un très bon œil », ajouta Jäminki.

Le charpentier Manssila regardait le gâteau qu'il avait en main, son poing se serra, la pâte céda, la crème jaillit sur la table. Il se leva, renversant sa chaise. Jäminki et Kainulainen sursautèrent : qu'est-ce qui lui prenait ?

« Qu'est-ce que c'est que cette histoire, bordel ! Vous êtes de beaux fumiers ! Jaatinen nous paie à la tâche, à la Tuerie, il ne force personne, et de quel droit fomentez-vous des troubles ? Écoutez-moi bien, la grève est l'arme de la classe ouvrière, pas un passe-temps de patrons et de gros agriculteurs ! Quelle bande de peigne-culs, vous stopperiez la construction du pont de votre propre village à cause de je ne sais quelles bisbilles ! Jaatinen est réglo avec ses hommes, vous n'en trouverez pas un pour se dresser contre lui, croyez-moi. Et toi, Jäminki, merde, tu voulais faire mettre les ouvriers du chantier de la Tuerie sur la liste des protêts, tu crois qu'on n'est pas au courant ? Je n'avais encore jamais vu pareil salaud, je vais t'apprendre, moi, à organiser des grèves ! »

Le délégué principal mit sa menace à exécution et flanqua une beigne à Jäminki. Pas trop méchante. Avec à peine la moitié d'un poing, mais assez fort quand même pour que l'agriculteur courtaud tombe à terre ; Kainulainen prit en vitesse la porte pour échapper au même traitement. De son bureau, il téléphona au chef de la police rurale locale, le commissaire Kavonkulma, qui vint aussitôt à la mairie. Il arrêta Manssila dans la cour et le conduisit en cellule, d'où il ne le laissa sortir que dans la soirée.

Pendant que le charpentier moisissait tristement au bloc, quatre hommes tinrent conseil dans la salle de patronage de la paroisse de Kuusmäki. Il y avait là Jäminki, Kainulainen, le commissaire Kavonkulma et le pasteur Roivas. Le maire avait le nez tuméfié, il s'examinait avec inquiétude le visage dans son miroir de poche.

Roivas le consola d'un ton affable :

« Il est bien enflé, mais ça va s'arranger, je ne pense pas qu'il reste comme ça. Je vous avais prévenus, on ne peut pas discuter calmement avec ces sauvages. »

Les quatre hommes palabrèrent à voix basse pendant deux bonnes heures. Ils ne se séparèrent que quand le commissaire Kavonkulma dut aller libérer Manssila. Alors qu'il sortait, Jäminki lui dit :

« Si j'étais toi, je le tabasserais un peu. Pour lui donner une leçon, comme au bon vieux temps. »

Deux semaines plus tard, Manssila fut condamné à une amende pour violences légères. Il était aussi inculpé d'autres faits : coups et blessures, résistance à l'autorité, intrusion dans un bâtiment public. Faute de preuves, ces accusations tombèrent toutefois d'elles-mêmes.

6

Quand Jaatinen apprit ce qui s'était passé dans la salle du conseil municipal, il sauta sur sa bicyclette et fonça droit à la mairie. Son intention était de faire clairement comprendre à Jäminki et aux autres notables qu'ils devaient enfin cesser de se mêler du chantier du pont de la Tuerie. Il était ulcéré à l'idée que Manssila avait dû passer presque toute une journée en cellule.

L'ingénieur entra d'un pas furieux dans la mairie. Une demi-douzaine d'employées travaillaient derrière les guichets. Jaatinen chercha des yeux la porte du Bureau de la construction, mais son regard scrutateur s'arrêta soudain sur un objet plus exaltant.

C'était une femme. Elle était là parmi les autres, mais ne leur ressemblait en rien. Elle était belle, douloureusement belle. Comment la décrire ? Des boucles brunes, des traits délicats, un nez droit, parfait, des yeux brillant de milliers de secrets... son cou de cygne émergeait de sa robe avec une grâce de déesse, ses seins idéalement placés se balançaient doucement tels de précieux trésors... et son corps ! Il cascadait des épaules aux hanches puis aux cuisses, aux genoux déliés à partir desquels les jambes s'amenuisaient, devenant chevilles, avant de disparaître dans d'élégants escarpins… un ravissement !

Jaatinen oublia totalement ce qu'il était venu faire. Il se figea devant le guichet, resta à regarder cette beauté, qui se rendit bientôt compte de l'intérêt qu'il lui portait. Elle se sentit un peu gênée, ce qui n'avait rien d'étonnant car les yeux de l'ingénieur étaient aussi solidement rivés sur elle que l'objectif d'une caméra filmant une scène d'anthologie.

Afin de détourner le regard fixe de Jaatinen, la femme vint au guichet lui demander ce qu'il désirait. Il fut incapable de répondre, ses grandes mains serraient si fort le bord du comptoir qu'il raya de griffures la surface de plastique vert ; puis il s'empourpra, fit demi-tour et sortit à grands pas. À la porte, hébété, il grommela pour lui-même, mais d'une voix audible :

« Catastrophe. »

L'ingénieur était si bouleversé qu'il ne se rappela qu'une fois dehors pourquoi il était venu voir Jäminki et compagnie, mais il n'osa pas retourner à la mairie. Il reprit sa bicyclette et pédala comme un forcené jusqu'à la Tuerie. La rougeur de son visage ne s'atténua qu'une fois qu'il eût retrouvé le chantier. Il passa le restant de la journée enfermé dans sa baraque à réfléchir à ce qu'il avait vu.

Le lendemain, il se renseigna discrètement sur l'identité de la femme. D'après Pyörähtälä, si sa beauté était réellement frappante, il ne pouvait guère s'agir que d'Irene

Koponen. Célibataire, et secrétaire de mairie de la commune.

Secrétaire de mairie, vraiment. Jaatinen se rendit compte qu'il était jaloux des édiles de Kuusmäki. Voilà donc pourquoi Jäminki, par exemple, en dehors de son rôle d'élu, s'occupait tant en personne de tâches normalement dévolues à des fonctionnaires salariés. C'était pour côtoyer cette créature de rêve que le vieil agriculteur râblé s'affairait dans les bureaux. Et le directeur des travaux communaux, Kainulainen ? Quelle injustice qu'un homme falot comme lui, et entre deux âges, puisse avoir le bonheur de voir tous les jours la fabuleuse secrétaire de mairie, et même de lui parler…

Tout à ces pensées, Jaatinen fut surpris par la veille de la Saint-Jean. En fin d'après-midi, il revêtit un pantalon de ville, cira ses chaussures, enfila une chemise neuve aux couleurs vives, se rasa avec soin et sauta sur sa bicyclette. Il pédala tranquillement jusqu'au bourg. Un vent tiède gonflait sa chemise, les oiseaux chantaient, l'air sentait la sève de bouleau. Ô bel été, ô ingénieur Jaatinen ! Cet homme au grand corps anguleux, éperdu d'amour, pédalait là vers sa Saint-Jean, avec dans son large cœur un espoir palpitant, une timide attente, un pressentiment de bonheur. Un ingénieur des ponts, dans ces circonstances, ressemble trait pour trait à tout autre Finlandais amoureux : il a sur le visage une expression d'une incroyable stupidité, sa bouche se tord, un semblant de chanson monte vers le ciel, son regard erre dans les broussailles et il roule sur sa bicyclette du côté gauche de la route.

Jaatinen se rendit au *Motel de la grand-route,* commanda une bière fraîche, fit un bon repas. Le restaurant de l'établissement grouillait de monde. Manssila, Pyörähtälä et quelques autres ouvriers du chantier de la Tuerie vinrent s'asseoir à la table de l'ingénieur. Ce dernier buvait avec modération, ce n'était pas le moment de se soûler, la nuit de la Saint-Jean serait longue.

Dans la soirée, on vit arriver Jäminki et Kainulainen. En apercevant Jaatinen, ils filèrent dans le cabinet particulier du Rotary Club. Ils furent bientôt rejoints par le commissaire Kavonkulma, suivi à petits pas par le pasteur Roivas.

« Ils mijotent quelque chose, dit Pyörähtälä.

– Je me demande bien pourquoi les notables de Kuusmäki nous en veulent tant, fit Jaatinen. Même en Ostrobotnie, quand j'y ai construit des ponts, je ne me suis jamais attiré si vite une telle haine.

– Ils sont comme ça, déclara Manssila. Il ne leur en faut pas beaucoup, ils détestent de toute façon fondamentalement tous les nouveaux venus. On a même du mal à trouver des enseignants, rien qu'en ce moment, il doit bien y avoir deux ou trois postes vacants. Et à la maison de santé, il n'y a qu'un médecin au lieu de trois. »

La soirée s'écoulait agréablement. Une douce ivresse réchauffait Jaatinen et, à la nuit tombée, il quitta le restaurant pour la rive du lac de la Tuerie, où un grand feu de la Saint-Jean réunissait tout le village. Il y avait bien cinq cents personnes au bord de l'eau, on guinchait sur la vieille piste de danse branlante. De la vodka tiède circulait parmi les hommes, la jeunesse tourniquait à mobylette sur les sentiers derrière la plage, la chorale de l'église de Kuusmäki chantait des airs traditionnels, de la brume flottait sur le lac, plus loin, dans les taillis, quelques hommes s'empoignaient et, au plus profond des fourrés, de timides mains de garçon tiraient sur le collant d'une demoiselle de Kuusmäki.

L'œil d'ingénieur de Jaatinen repéra sur la berge la secrétaire de mairie Koponen, assise seule sur un rocher un peu à l'écart de la foule. Il se glissa auprès d'elle, s'assit pour bavarder, et bientôt ils s'éloignèrent du lieu de la fête, détachèrent une barque et glissèrent sans bruit sur le lac brumeux.

Loin sur l'autre rive, dans la douce nuit d'été, Jaatinen cessa de ramer, regarda tendrement la femme, lui prit la main, et bientôt ils se trouvèrent assis enlacés dans la barque, ils avaient un peu envie de rire, ils étaient nerveux, ils se sentaient bien. Jaatinen constata que son charme viril opérait et en éprouva une immense joie, un bonheur de conquérant. Ce sentiment qui lui gonflait la poitrine se renforça dans les heures qui suivirent quand, après minuit, il raccompagna Irene Koponen jusque chez elle, dans l'escalier, dans sa chambre, derrière les rideaux, son bras tremblant d'excitation autour de sa taille, avec contre lui tout ce corps d'une indescriptible beauté.

Enivré de plaisir, il s'endormit enfin, serrant dans ses bras la belle secrétaire de mairie ouverte telle une huître, trésor de la nature au goût et au parfum incomparables. Ainsi sommeillèrent-ils jusqu'au lever du jour de la Saint-Jean.

Au matin, Jaatinen fut réveillé par le merveilleux chant d'Irene, auquel se mêlait par la fenêtre ouverte le gazouillis de centaines d'oiseaux, et il se sentit plus heureux encore, si possible, que pendant la nuit. Il mangea le petit déjeuner qu'elle avait préparé, avala ses rondelles de tomate en la regardant aussi loin dans les yeux qu'il en était capable ; il débordait d'amour, tel un grand poêle en faïence qui, après être resté froid plusieurs hivers, vient d'être rempli de plusieurs brassées de pin sec. Il irradiait ainsi de chaleur dans la pièce entière, jusqu'à ce que le téléphone sonne.

C'était le pasteur Roivas.

La sublime Irene répondit d'une voix claire et souhaita une heureuse Saint-Jean au pasteur mais, un instant plus tard, le ton de sa voix changea et, pour finir, elle raccrocha d'un geste sec ; Jaatinen apprit vite ce qui amenait le pasteur.

« C'est toi, le maître d'œuvre du chantier de la Tuerie, l'ingénieur des ponts Akseli Jaatinen ?

– C'est moi.

– Et tu me l'avais caché !

– Je croyais que tu savais qui j'étais, comme tu ne m'as rien demandé.

– Je te prenais pour un honnête ouvrier. Roivas m'a téléphoné pour me dire que tu étais ce Jaatinen. Qu'est-ce qu'on va faire, maintenant ? Dis-moi ! »

Il s'avéra que la secrétaire de mairie Koponen s'était fait depuis longtemps une idée précise de l'ingénieur des ponts Jaatinen, un véritable porc, ivrogne, bon à rien, arriviste grossier… et voilà qu'elle l'avait sans le savoir introduit chez elle, quelle honte !

Jäminki avait téléphoné le matin même au pasteur pour lui raconter que Jaatinen s'était rendu coupable d'un incendie criminel, une grange et une faucheuse y étaient passées, des antiquités toutes les deux, et que si la secrétaire de mairie voulait conserver sa confiance ainsi que celle du parti centriste et de certains autres groupes d'élus, elle cesserait de jouer avec le feu et reprendrait ses esprits avant qu'il puisse se produire pire.

« Je ne t'aurais pas crue aussi mesquine, dit Jaatinen.

– Salaud, oser me draguer, et incognito en plus ! Jäminki va me virer si tu ne sors pas d'ici tout de suite », dit la secrétaire de mairie, et elle s'enferma dans la salle de bains, d'où l'on entendit des pleurs et des bruits d'eau. Bientôt elle en ressortit, habillée, alla ouvrir la porte et dit :

« Va-t'en, s'il te plaît. C'est la pire bêtise que j'aie jamais faite. Laisse-moi. Et ne reviens plus jamais briser ma vie. »

Jaatinen s'en alla. Le feu s'éteignit dans le poêle de l'amour, comme si un seau d'eau grise et boueuse avait été jeté sur la joyeuse flambée. On aurait presque dit qu'une fumée noire s'échappait des oreilles et des narines de l'ingénieur des ponts quand il sortit dans la rue principale du bourg sous le soleil de la Saint-Jean. Il maudissait rarement les femmes, mais cette fois il dit :

« Chameau. »

7

Ô déshonneur et vexation suprême ! Jaatinen, le visage empourpré, traversait le village dans le clair matin de juin. Il y avait pas mal de monde dans les rues, les gens avaient l'air de se douter d'où il venait, sa mésaventure amoureuse semblait même être de notoriété publique.

L'ingénieur était si honteux et furieux qu'il ne parvenait pas à se rappeler où il avait laissé sa bicyclette la veille au soir. En la cherchant, il tomba sur un petit groupe réuni sur la place devant le crédit mutuel. Du beau linge : le maire Jäminki, le pasteur Roivas et un troisième homme, plus jeune, en qui Jaatinen reconnut le chef des pompiers Jokikokko.

Le trio s'était à l'évidence donné rendez-vous là afin de voir la tête que ferait l'ingénieur en sortant de chez la secrétaire de mairie. Jaatinen ne savait pas grand-chose de Jokikokko, si ce n'est qu'il cherchait depuis des années à épouser Irene Koponen, sans succès pour l'instant. Le chef des pompiers était un grand blond, sans rien de très remarquable, un blanc-bec, en somme. Voilà donc le genre d'admirateurs qu'avait la belle : Jaatinen ne put s'empêcher de renifler avec mépris en l'examinant plus attentivement.

Les trois hommes sourirent ouvertement en voyant approcher l'ingénieur, et cette manifestation de joie maligne écorna encore un peu plus la fierté blessée de l'amant éconduit.

« Tiens, Jaatinen, dit le pasteur Roivas. Je ne vous veux aucun mal, mais vous comprendrez sûrement, Mlle Koponen a été mon élève au catéchisme... j'ai jugé de mon devoir de la mettre en garde. Je ne pense pas que votre influence sur elle puisse être positive. »

Jäminki non plus ne put s'empêcher de dire deux mots à l'ingénieur humilié :

« Nous vous observons depuis déjà un moment, Jaatinen. On ne se conduit pas à la va-comme-je-te-pousse, dans ce village, sachez-le. En plus, notre chef des pompiers ici présent fréquente depuis déjà longtemps Mlle Koponen. Nous n'avons pas besoin qu'on vienne piétiner nos plates-bandes, croyez-moi. »

Jaatinen toisa le trio, s'ébroua de fureur. Jokikokko serra les poings. La tension était à son comble, le pasteur Roivas s'écarta prudemment.

Le chef des pompiers ne put s'empêcher de pousser un peu Jaatinen. Il dit en même temps :

« Je te conseille de filer réfléchir un brin dans ta baraque de la Tuerie. Compris ? »

C'en était trop.

Jaatinen rugit, se débarrassa de Jokikokko comme d'un vieux chiffon, agita un poing menaçant sous le nez de Jäminki.

Un groupe de villageois vint à la rescousse. Ils entourèrent Jaatinen, le prirent à partie. L'ingénieur, se sentant menacé au milieu du cercle, tenta de toutes ses forces de se maîtriser ; conscient d'avoir le sang chaud, il préférait en général éviter les bagarres.

La bousculade dura un certain temps. Jokikokko arracha les boutons de la chemise de l'ingénieur, le grabuge s'intensifia, l'on vit arriver au pas de course le commissaire Kavonkulma et le brigadier Ollonen. Les Kuusmäkiens serraient Jaatinen de si près que le chef de la police dut élever la voix :

« Poussez-vous, que je puisse jouer de la matraque ! »

On fit place au commissaire, le dos de Jaatinen vibra sous les horions. Il eut le temps de recevoir une bonne dizaine de coups avant de réussir à se libérer les mains et à arracher son bâton à Kavonkulma. Il le jeta au loin, tenta de se défendre avec ses poings, mais les villageois s'agrippaient à lui comme des fourmis remorquant un hanneton vers leur fourmilière.

« On va l'emmener au bloc », décréta le commissaire.

La grappe humaine entreprit de traîner Jaatinen vers le poste de police. Il résistait de toutes ses forces : ses chaussures laissèrent sur l'asphalte de noires traces de freinage, sa chemise se déchira, ses assaillants piétinèrent sa montre tombée de son poignet. Petit à petit, l'ingénieur fut cependant tiré vers le commissariat.

Il fallut bien dix minutes à la vingtaine de Kuusmäkiens pour réussir à faire traverser la grand-rue à Jaatinen ; la circulation resta coupée pendant ce temps. Un automobiliste de passage, bloqué par l'embouteillage, s'enquit de la cause du remue-ménage. Le pasteur Roivas, qui s'était laissé emporter par l'ardeur de l'échauffourée au point de haler Jaatinen par un pan de chemise, lâcha prise et vint expliquer la situation au curieux :

« Nous emmenons juste cet ingénieur se calmer un peu en cellule... c'est une sorte de Barabbas... extravagant. Passez votre chemin, ce n'est rien. »

Entre-temps, on avait réussi à traîner Jaatinen jusqu'au perron du commissariat. Là, il faillit s'échapper, car il ne pouvait plus se tenir que dix hommes autour de lui sur les marches. Vu de loin, on aurait cru une démonstration de force, des cris fusaient, les hommes en sueur haletaient. L'un d'eux tenait déjà ouverte la porte du poste de police, Jaatinen avait l'air d'un grand étalon que l'on aurait voulu faire monter à tout prix dans une bétaillère d'abattoir. La balustrade du perron céda, quelques villageois tombèrent des marches, mais le dos de l'ingénieur disparut enfin par la porte et le vacarme se déplaça vers le couloir d'entrée du commissariat.

« On n'a jamais eu autant de mal à conduire quelqu'un au poste », commentèrent les spectateurs massés dans la cour.

Les bruits de lutte venaient maintenant des bureaux, des portes claquaient, le téléphone sonnait. Quelqu'un décrocha, cria :

« Oui, oui, c'est le commissariat ! On viendra dès qu'on aura pu mettre cet ingénieur en cellule. Rappelez plus tard, on n'a pas le temps d'enregistrer des plaintes maintenant ! »

Au moment où les Kuusmäkiens allaient réussir à faire passer le seuil de la cellule à Jaatinen, il parvint à dégager ses mains, jeta avec une incroyable force quelques-uns de ses assaillants dans le cachot, secoua les autres de ses basques, claqua la porte et se rua dans le couloir. Les deux hommes encore accrochés à lui tombèrent quand il sauta par la fenêtre ouverte dans la cour. Les badauds s'éparpillèrent telle une volée de corneilles à la vue d'un faucon. L'ingénieur fonça jusqu'à la rue, la traversa, disparut dans les bois. Son dos nu luisait de transpiration au soleil, des lambeaux de sa chemise restèrent pris dans la haie du crédit mutuel quand il bondit par-dessus.

Des hommes en sueur déboulèrent énervés du poste de police, coururent un instant en rond dans la cour, puis se jetèrent à la poursuite de Jaatinen.

Sous le soleil de la Saint-Jean, la forêt murmurante avala l'ingénieur ; il fuyait tel un élan, les Kuusmäkiens ne purent le rattraper. Après avoir cherché un moment l'évadé, ils revinrent bredouilles, hors d'eux, et déclarèrent :

« On a bien failli ne pas réussir à l'amener au poste. »

8

Quelle Saint-Jean, songea l'ingénieur Jaatinen au cœur des forêts de Kuusmäki. Il errait loin des zones habitées, perdu dans ses pensées, et arriva enfin sur les rives de la Tuerie, se lava dans le courant, se débarrassa de ses derniers lambeaux de chemise. Il avait des plaies à vif un peu partout sur le corps, c'était un miracle qu'il n'ait pas d'os cassés.

La mine sombre, il s'assit dans le soir d'été au bord de la rivière. Amer et furieux, il semblait prêt, tel Kullervo, à lancer une malédiction vengeresse*.

En même temps, sa triste situation avait de quoi faire sourire. Une pensée lui vint : qui aurait pu deviner, hier encore, comment cette Saint-Jean se terminerait ?

Au crépuscule, Jaatinen longea la Tuerie vers l'aval. Il n'osait pas retourner au bourg, la population risquait d'être

* La malédiction de Kullervo, et plus généralement le destin tragique de ce héros épique du *Kalevala,* est un thème qui a inspiré de nombreux artistes, aussi bien dans le domaine de la peinture et de la sculpture que de la littérature, de la musique ou du cinéma. *(N.d.T.)*

encore d'humeur lyncheuse. Il parcourut quelques kilomètres avant d'arriver enfin au chantier du pont. Là, il s'avança avec prudence à la lisière de la forêt. Mieux valait s'assurer que ni le commissaire Kavonkulma ni le brigadier Ollonen ne l'attendaient. Il ne tenait pas à être de nouveau traîné au poste.

Il y avait du mouvement sur le chantier. En regardant plus attentivement, Jaatinen reconnut Pyörähtälä devant la baraque, fumant une cigarette dans le soir d'été. Il sortit du couvert des arbres. Pyörähtälä, l'air heureux de le voir, courut à sa rencontre.

« Nom de Dieu, Jaatinen ! On m'a raconté l'empoignade de tout à l'heure. Je te cherchais. Le commissaire et Ollonen sont encore en train de battre les bois. Je suis venu te prévenir.

– De quoi peuvent-ils m'accuser ?

– De rien, sans doute, mais ils sont si furibards qu'ils veulent de toute façon te coller au trou pour la nuit.

– Ils ne sont pas de taille. On en a eu la preuve tout à l'heure.

– Écoute, tu ne connais pas Kavonkulma, ni les autres grosses légumes du canton. Le commissaire a quelques très vilaines histoires sur la conscience, ce ne sont pas les scrupules qui l'étouffent. »

Pyörähtälä raconta à l'ingénieur une affaire datant de l'automne précédent. Il s'était retrouvé en cellule... mais bon, inutile de s'étendre là-dessus, ce n'était pas la première fois que Kavonkulma et Ollonen l'y portaient. Pendant la nuit, on avait jeté dans le même cachot un autre homme, lui aussi un peu ivre, puis un troisième, un jeune garçon. Le commissaire l'avait surpris dans une étable à copuler avec une vache, l'avait rossé et traîné au poste. Là, il l'avait si bien tabassé qu'il en avait ensuite perdu la vue d'un œil. Le résultat avait suffisamment effrayé Kavonkulma pour qu'il relâche le garçon, après lui avoir d'abord fait jurer de ne pas ébruiter l'affaire, menaçant de l'accuser de zoophilie.

« Et il n'y a pas eu de plainte ?

– Contre ce garçon ? demanda Pyörähtälä.

– Non, contre le commissaire, bien sûr, c'est lui qui a commis un délit en l'éborgnant. La bestialité n'est d'ailleurs même plus réprimée par la loi.

– Il n'y a eu aucune poursuite contre Kavonkulma. Il s'est arrangé avec la mère du garçon, il lui a sans doute même donné de l'argent, et lui a promis que son fils ne serait pas inculpé si on réglait l'affaire à l'amiable. Cette femme a tellement honte de son garçon, à cause de ce qu'il fait avec les vaches, et en plus il est un peu simplet, à mon avis. Je voulais saisir la justice, mais elle me l'a interdit, elle avait peur que tout le village soit au courant, même si c'est déjà plus ou moins le cas.

– Alors c'est ce genre-là, Kavonkulma.

– Oui. Méfie-toi, si tu ne veux pas te faire tabasser. Ils risquent de venir te trouver, cette nuit. Tu devrais venir dormir chez moi, cette baraque est le premier endroit où ils te chercheront.

– Pourquoi pas. Je n'ai aucune envie de me castagner une nouvelle fois avec tout le village. »

Les deux hommes gagnèrent à travers bois le logement de Pyörähtälä. Au matin, ils revinrent ensemble au chantier. À huit heures, les ouvriers prirent leur travail. Jaatinen leur annonça que les équipes seraient doublées pour la dernière semaine de juin, avant la suspension du chantier en juillet pour les vacances d'été.

Dans la matinée, le commissaire Kavonkulma et le brigadier Ollonen se présentèrent à la Tuerie. Ils se dirigèrent d'un pas résolu vers le maître d'œuvre.

« Veuillez nous suivre, ingénieur Jaatinen.

– Je ne bougerai pas d'ici. Vous n'avez pas de mandat d'arrêt, vous ne pouvez pas m'emmener. Le chambard d'hier ne vous a pas suffi ? »

Les ouvriers suspendirent leur travail. Ils se rassemblèrent autour du commissaire, d'Ollonen et de Jaatinen. Un silence menaçant enveloppait les policiers, qui se rendirent compte que la situation risquait de dégénérer.

« Vous avez semé une telle pagaille, hier au bourg, que nous voulons vous entendre. Vous serez cité à comparaître pour désordre sur la voie publique.

– Déposer votre citation dans la baraque, là. Je viendrai au tribunal, mais je n'ai pas de temps à perdre avec des interrogatoires. Ce chantier est interdit au public, si vous n'avez rien d'autre à faire ici, vous feriez mieux de vous en aller », dit Jaatinen.

Ollonen serra les dents, Kavonkulma hésitait sur l'attitude à adopter.

Manssila trancha la question :

« Vous n'emmènerez pas Jaatinen de force, nous sommes assez nombreux pour lui prêter main-forte au besoin. Si vous avez un document écrit, laissez-le là, que tout soit en règle. »

Le visage incandescent, la force publique recula. Kavonkulma grommela que la citation à comparaître arriverait par courrier. Les deux hommes repartirent dans leur voiture-radio. Petit à petit, les travaux reprirent sur le chantier. L'ingénieur était conscient que les choses auraient pu mal tourner si le commissaire n'avait pas abandonné son idée d'arrestation.

Le 1er juillet, Jaatinen versa à ses ouvriers leurs indemnités de congés payés et leur souhaita de bonnes vacances. Puis il se rendit au bourg à bicyclette, monta dans l'autocar et disparut à Helsinki.

9

Quand l'ingénieur Jaatinen revint de vacances, trois semaines plus tard, il alla droit au commissariat s'entretenir avec Kavonkulma.

« Tiens, Jaatinen… tu es venu discuter de la perturbation que tu as semée à la Saint-Jean ? Les regrets ne sont plus de mise, tu écoperas d'une amende plutôt salée, le moment venu.

– C'est de ça et d'une ou deux autres choses que je suis venu te parler. Mais lis d'abord ce papier, Kavonkulma. »

Le commissaire prit entre ses gros doigts le document tendu par Jaatinen, se mit à le lire d'un air hautain. Mais bientôt son expression changea du tout au tout, son visage s'empourpra, ses mains tressaillirent et, quand il eut fini, il tremblait de la tête aux pieds, tout grand qu'il était. L'ingénieur lui reprit le papier des mains. Kavonkulma se leva de sa chaise, se mit à tourner en rond dans son bureau comme un animal traqué. Il cracha :

« C'est du chantage. Tu ne t'en tireras pas comme ça.

– Ce n'est pas encore du chantage, mais c'en sera à coup sûr si tu m'en donnes la moindre occasion. Je vais porter ce papier au secrétariat et demander qu'on l'envoie à la direction départementale de la police.

– Non ! Ne fais pas ça ! C'était un accident. »

Le document de Jaatinen contenait une déclaration de Mme veuve Reivilä, petite exploitante agricole, évoquant la tendance de son fils à s'adonner – en de très rares occasions – à des actes sexuels avec des animaux domestiques. À cause de ce penchant, cependant, « le commissaire Kavonkulma, Paavo Uuno, s'est introduit dans la nuit du treize (13) septembre dernier, vers une heure du matin, dans le domicile de la veuve, a emmené son fils et, plus tard dans la même nuit, l'a agressé à coups de poing et de pied, si bien qu'il a définitivement perdu la vue d'un œil. Ont en outre été constatées en différents endroits du corps du garçon des plaies, blessures et ecchymoses de degrés divers... ».

Au bas du document figuraient les signatures de la mère et du fils, ainsi que celles de Pyörähtälä et de l'autre occupant de la cellule qui avait été témoin de la scène.

Jaatinen déchira le papier. Le commissaire retrouva le sourire.

« Bouffon, va, tu prétends ressortir une vieille histoire, alors que c'est toi qui as fabriqué ce faux, qui as imité ces signatures pour me faire peur... Je me doutais bien que ce n'était pas sérieux.

– Ce n'était qu'une photocopie. L'original est dans le coffre de mon avocat, à Helsinki », dit Jaatinen. Il mit le feu aux restes de la copie, qui brûlèrent sur le coin du bureau du commissaire ; une fumée noire vint planer dans la pièce.

Kavonkulma s'assit sur sa chaise. L'angoisse qui l'avait étreint le reprit, plus forte encore qu'auparavant.

Jaatinen se leva.

« Tu vas laisser tomber cette histoire d'amende et de citation à comparaître au tribunal. Ensuite, écoute-moi bien : tu vas immédiatement convoquer pour interrogatoire tous ceux qui m'ont traîné ici le jour de la Saint-Jean et ont essayé de me mettre en cellule. Ils étaient au moins vingt. Tu leur feras payer à chacun une amende pour trouble à l'ordre public. Ollonen est témoin. On m'a déchiré ma chemise, je veux qu'ils m'en achètent tous ensemble une neuve et me l'apportent à la Tuerie.

– Ne dis pas de bêtises, je ne peux pas réclamer une amende à autant de personnes… et pour ta chemise, je préfère te l'acheter à mes frais, combien fais-tu de tour de cou ?

– Du 42. Mais ce n'est pas toi qui vas l'acheter, ce sont ceux qui m'ont traîné au bloc. Et n'oublie pas d'infliger aussi une amende au pasteur Roivas. C'est clair ? »

Le commissaire soupira lourdement. Il convoqua le brigadier dans son bureau et lui dit :

« Écoute, Ollonen. Fais-moi la liste des gens qui ont essayé, à la Saint-Jean, de mettre l'ingénieur Jaatinen ici présent en cellule, tu t'en souviens sûrement. Note leurs noms, qu'on leur dresse à chacun une contravention de cinquante marks. Tu es témoin, et ils se rappelleront bien eux-mêmes aussi cette histoire. »

Se tournant vers Jaatinen, Kavonkulma demanda d'un ton prudent :

« Ça ira, cinquante marks par tête ?

– C'est bien, oui.

– Et de quelle couleur, la chemise ? »

Jaatinen réfléchit un instant. Puis il se décida :

« Bleue, à petits carreaux. En flanelle. »

10

L'été de Jaatinen s'écoulait dans la solitude. Il rêvait avec nostalgie de la secrétaire de mairie Koponen, mais n'osait pas l'aborder, car il gardait un souvenir cuisant du traitement qu'elle lui avait infligé à la Saint-Jean. Malgré leurs efforts réciproques pour s'éviter, ils se croisaient pourtant parfois, car Kuusmäki était un petit village et il leur arrivait de temps à autre à tous deux d'avoir à faire au bourg. Quand il la rencontrait, Jaatinen saluait Koponen avec raideur, mais n'obtenait guère de réponse. Il accueillait ces rebuffades d'un air maussade, les coins de sa bouche tressaillaient sans raison et, s'il était amer, son grand corps hébergeait aussi un incommensurable désir.

Les histoires de femmes des ferrailleurs et des charpentiers, cet été-là, n'amusaient pas l'ingénieur. Ses propres amours étaient en si triste état qu'il n'avait pas le cœur à rire de plaisanteries grivoises.

Les travaux du pont de la Tuerie avançaient malgré tout à un rythme soutenu. En août, on en était aux banches du tablier et Jaatinen calcula que l'on pourrait commencer à le couler en septembre. Quand il transmit à la direction départementale des Ponts et Chaussées sa commande d'acier de ferraillage, on s'y étonna de l'avancement rapide du chantier. L'ingénieur expliqua :

« Les gens d'ici sont si efficaces que ça n'a rien de surprenant. »

Le commissaire Kavonkulma, docile, dressa contravention à dix-huit Kuusmäkiens. Il se plaignit à Jaatinen de la difficulté de la tâche, mais celui-ci fut intraitable : des amendes devaient être imposées à tous, y compris Jokikokko, Jäminki et Roivas. Ces deux derniers, surtout, s'offusquèrent de la sanction et tancèrent sévèrement leur ancien ami le commissaire mais, contraints et forcés, ils durent bien eux aussi expier leur méfait. En payant l'amende à la banque, Jäminki dit :

« On finira bien par régler son compte à ce Jaatinen et à le chasser du village, c'est moi qui vous le dis. »

Roivas ne daigna pas se déplacer en personne pour régler son dû, ce fut la secrétaire de la paroisse qui apporta l'argent.

Jaatinen n'eut sa nouvelle chemise qu'en août. Les Kuusmäkiens s'étaient refusés avec obstination à cet achat qu'ils jugeaient indigne d'eux. Mais une fois qu'Ollonen, sans craindre d'user de la force, eut collecté auprès de chacun la menue monnaie nécessaire, la somme fut réunie ; un beau jour, le commissaire et le brigadier se rendirent à la mercerie-bonneterie afin de faire l'emplette d'une chemise pour l'ingénieur Jaatinen. Ils examinèrent avec soin différents modèles, se rappelèrent les instructions reçues et arrêtèrent enfin leur choix sur une chemise à col à carreaux bleus. Avant de sortir du magasin, Kavonkulma demanda à la vendeuse :

« Si ça ne convient pas à l'ingénieur, nous pourrons l'échanger, n'est-ce pas ? »

Les chaudes soirées d'août n'avaient rien d'agréable pour Jaatinen : il passait son temps seul dans sa baraque de chantier, à fixer la Tuerie par la petite fenêtre sale. Il aurait bien sûr pu aller boire quelques bières au *Motel de la grand-route,* sauf que c'était une activité trop abrutissante et trop fatigante pour être pratiquée tous les jours. L'ingénieur emprunta quelques ouvrages à la bibliothèque mais, allongé sur sa couchette dans la moiteur étouffante de son bungalow, bercé par le faible chuintement de la lampe à gaz, il s'endormait en général avec son livre sur la poitrine, pour se réveiller tout habillé en pleine nuit, affamé et engourdi. Il passait ensuite le reste de la nuit debout, à traîner au bord de la rivière, comptant les heures.

Jaatinen finit pourtant par se trouver une occupation pour meubler ses soirées et ses nuits solitaires. Il acheta une vieille barque – les villageois ayant refusé de lui en louer une – et prit l'habitude de ramer sur le lac dans lequel se jetait la Tuerie. Il pêchait le sandre et la perche à la traîne, attrapait même souvent des brochets. Un transistor jouant en sourdine lui tenait compagnie sur le banc de poupe, branché sur les ondes courtes.

Les tolets cliquetaient doucement dans les roselières de la Tuerie, la lune d'août brillait sur le lac immobile, l'infinie beauté de la nature éveillait en Jaatinen des souvenirs de sa jeunesse et de Mlle Koponen ; la vieille barque se gonflait de désir. Les clairs de lune de l'été dispensaient en vain leurs milliers de reflets.

Lors d'une de ses parties de pêche nocturnes, il arriva à Jaatinen une aventure inhabituelle. La soirée était particulièrement chaude, il ramait entre les petites îles du lac de la Tuerie. Sur plusieurs d'entre elles se dressaient des chalets de vacances près des pontons desquels il pêchait souvent le sandre avec succès, comme cette fois : un poisson d'un bon kilo mordit à l'hameçon. Il se débattit pendant un certain temps au bout de la ligne mais se fatigua bientôt assez pour que l'ingénieur puisse le cueillir avec son épuisette. Les rames cognaient la coque dans l'obscurité du soir d'août, le sandre donnait des coups de queue sous le banc de nage. Quand Jaatinen eut réussi à le tuer, il s'aperçut que la barque avait dérivé jusqu'à la plage d'un chalet. Venant de la maison, une douce voix de femme se fit entendre dans la nuit :

« C'est vous, ingénieur Jaatinen, qui pêchez de nouveau là ? »

L'ingénieur tira sa barque au sec, sauta à terre, se dirigea vers le cercle de lumière du chalet. Une femme l'attendait sur le perron, blonde et vigoureuse. En chemise de nuit, les cheveux défaits.

« Entrez donc, Jaatinen, au lieu de rester dans le noir, vous prendrez bien un peu de café, si j'en fais. Mon Dieu, quel gros poisson, je crois que je n'oserai plus me baigner dans ce lac, si on y trouve des monstres pareils. Est-ce que le sandre s'attaque à l'homme ? »

La femme ajouta qu'elle était seule, car son mari, le proviseur Rummukainen, était rentré au bourg en fin d'après-midi, avec l'une des barques.

« J'aime tellement la nature que je reste souvent ici sans personne. J'adore la solitude, le tête-à-tête avec mes propres pensées. En même temps, j'ai quelquefois un peu peur. Tout à l'heure, je me suis demandé qui pouvait bien s'approcher de la plage, mais ensuite je me suis enhardie à vous parler. »

Mme Rummukainen, Leea, était jeune, la trentaine ; elle fit du café, servit quelques verres de sherry. Le chalet du proviseur offrait un cadre idéal pour un moment de détente : Jaatinen alluma du feu dans la cheminée, Leea Rummukainen vida le sandre et le mit au four. Elle ne semblait pas pressée d'aller se coucher. Jaatinen se dit qu'il avait tout le temps de retrouver sa baraque de chantier, il n'avait aucune raison de ne pas manger son poisson, puisqu'on le lui cuisinait. Il s'était bien assez nourri de pain dur cette saison.

« Mon Dieu, si mon mari savait que je suis encore debout à cette heure à bavarder avec vous, il serait sûrement fumasse… je veux dire qu'il ne comprendrait pas. Il y a tellement d'histoires qui circulent sur votre compte au village. Mais ne vous inquiétez pas de ce que disent les gens. On a aussi beaucoup jasé sur moi à Kuusmäki. Les habitants de ce canton ont l'esprit si étroit que c'en est exaspérant. »

L'ingénieur alluma une cigarette. Il était assis face à Mme Rummukainen, qui avait croisé haut sa jambe gauche sur la droite ; sa chemise de nuit froufroutante avait glissé, dévoilant audacieusement ses cuisses, Jaatinen observait du coin de l'œil le spectacle offert, il était conscient que ces charmes féminins étaient exposés à dessein. Ses pensées s'éloignèrent du sujet de la conversation, Mme Rummukainen le regardait dans les yeux, qui sait jusqu'à quelles profondeurs.

Des grésillements se firent entendre dans le four, le sandre cuisait.

« Mon Dieu, ton poisson, nous allions l'oublier. »

« Ton poisson », Mme Rummukainen était passée avec naturel au tutoiement. Elle servit le sandre, alluma des bougies, éteignit l'électricité. Une bouteille de vin rouge fit même son apparition sur la table. Tout cela fit forte impression sur l'ingénieur. La lune brillait à la fenêtre. Sur l'eau, ses reflets argentés projetaient un pont jusqu'à la rive opposée du lac.

Ils goûtèrent le sandre, burent le vin, Leea sortit de sa cachette le cognac de chasse de son mari, qu'ils vidèrent aussi. Au cœur de la nuit, Mme Rummukainen se déshabilla, prit Jaatinen par la main pour l'entraîner jusqu'à son lit, il se passa ce qui se doit dans ces circonstances. Peu après cette agréable activité, ils sortirent nus sur la véranda, Leea courut au lac, l'ingénieur la suivit. Ils nagèrent. L'eau était tiède, leurs corps blancs tournoyaient, leurs rires roulaient sur l'onde. Heureux, ils allèrent dormir.

À l'aube, un léger souffle de vent entraîna la barque de Jaatinen vers le large. Elle dériva jusqu'au bourg de Kuusmäki, termina sa course contre les rochers de la plage et resta là à se balancer dans la brise matinale. Pendant ce temps, l'ingénieur des ponts, fatigué par ses ébats nocturnes, dormait du sommeil du juste dans la chambre à coucher de la villa du proviseur Rummukainen, dans les bras de la femme de ce dernier, Leea, elle aussi profondément endormie, nue, ignorante du lever du soleil.

Les travaux se mirent paresseusement en route au chantier du pont de la Tuerie, car Jaatinen n'était pas sur place à huit heures. Les ouvriers se demandèrent où il avait bien pu passer, mais personne n'en savait rien. Vers neuf heures, on apprit que l'on avait trouvé sa barque, vide, sur la plage du village, il y manquait une rame.

On pouvait en conclure que l'ingénieur avait eu un accident, il avait dû de toute évidence tomber à l'eau.

Il allait falloir entreprendre des recherches, se dirent les villageois. On ne mettait pourtant guère d'enthousiasme à agir, quelqu'un se demanda s'il était bien raisonnable de se précipiter pour draguer le lac. Si Jaatinen s'était noyé il était trop tard, sinon, il ne devait pas être en bien grand danger.

« C'est quand même un être humain, dirent certains.

– Notre devoir est de lui porter secours », décréta le proviseur Rummukainen, qui était aussi le chef de la protection civile de Kuusmäki. Avec le commissaire, il réunit quelques hommes pour entreprendre le dragage. Avant de commencer, on vérifia si la bicyclette de Jaatinen se trouvait à sa place contre le mur de la baraque de chantier. Elle y était. Rummukainen ordonna :

« Eh bien on va draguer. Notre autre barque est plus solide, je vais aller la chercher dans l'île, Leea a dormi là-bas, il faut d'ailleurs que je lui demande si elle n'a pas entendu d'appels au secours pendant la nuit. »

Il partit dans son bateau à moteur.

À sa terrible surprise, Rummukainen découvrit le supposé noyé dans son propre lit, nu, aux côtés de sa femme tout aussi nue. Il décrocha du mur son fusil de chasse à l'élan, se rua dans la chambre, réveilla les dormeurs en criant sauvagement :

« Debout, fornicateurs, je vais vous tuer ! »

Jaatinen se leva, attrapa son pantalon, l'enfila, Mme Rummukainen se couvrit du premier vêtement qui lui tomba sous la main. Les trois protagonistes de la scène étaient aussi horrifiés les uns que les autres.

Leea Rummukainen fut la première à reprendre ses esprits. Elle se lança dans des explications affolées :

« Kauko, ne tire pas, Kauko ! Heureusement que tu es là ! Ce monstre m'a retenue prisonnière ici toute la nuit, tu me crois, n'est-ce pas, Kauko chéri ! »

Rummukainen, le regard noir, écouta parler sa femme. Il jeta un coup d'œil à la ronde, il y avait sur la table des bouteilles vides et des restes de sandre. Mais Leea Rummukainen, maintenant rhabillée à la hâte, expliqua leur présence :

« Jaatinen m'a obligée à cuisiner son répugnant poisson et a passé la nuit à vider ta cave, j'avais une peur affreuse que ce fou me tue, en plus. Tu me crois, n'est-ce pas ? »

C'était dur à avaler, mais toute autre version des faits semblait encore pire, et Rummukainen décida de croire son épouse. Sous la menace de son fusil à élan, il conduisit Jaatinen jusqu'au lac, où Leea fit docilement démarrer le hors-bord. Jaatinen fut sommé de monter dans la plus petite des deux barques, les mains sur la tête, et ils quittèrent l'île en convoi. La corde entre les bateaux se tendit, Mme Rummukainen pilota plein gaz sur le lac jusqu'au village, où une foule nombreuse s'était rassemblée au bord de l'eau pour suivre les opérations de dragage.

La barque toucha terre, on ordonna à Jaatinen de descendre – les mains toujours sur la tête –, les gens l'entourèrent. Rummukainen résuma la situation :

« Ce porc a passé la nuit dans notre villa, il a gardé Leea prisonnière, bu mes alcools et exigé qu'elle lui prépare du poisson. Voilà pour quelle fripouille nous nous apprêtions à draguer le lac, et bénévolement, en plus. Il aurait mérité de se noyer ! »

Le commissaire Kavonkulma se fraya un passage jusqu'au centre du cercle, prit Jaatinen par le bras, l'emmena.

« Colle-le au trou », cria-t-on derrière lui.

Mais le chef de la police locale, plutôt que de se plier à la vindicte publique, raccompagna Jaatinen en voiture à la Tuerie. L'ingénieur s'enferma pour le restant de la journée dans sa baraque de chantier. Manssila et Pyörähtälä lui rendirent deux ou trois fois visite. Jaatinen leur donna des instructions pour la conduite des travaux, sinon il resta allongé sur sa couchette.

Ce soir-là, Mme Rummukainen pleura seule chez elle toutes les larmes de son corps, de honte et de chagrin. Le proviseur Rummukainen était à une réunion des rotariens, qui évoquèrent avec des hochements de tête le cas de Jaatinen, tandis que Leea sanglotait dans sa chambre à coucher. Au cœur de la nuit, la pleine lune monta à nouveau dans le ciel, ne faisant qu'accroître la profondeur de sa tristesse.

11

Les humiliations se succédaient donc pour Jaatinen à Kuusmäki. Son espace vital s'était réduit à néant : quand le chantier se taisait, le soir, il n'avait plus guère envie d'aller se distraire au bourg, car les gens le regardaient avec insistance et hostilité. Il mettait parfois sa barque à l'eau pour aller ramer sur le lac, mais le violent souvenir de ses aventures à la villa des Rummukainen lui revenait alors, le forçant à tirer son embarcation sur le sable. Pêcher ne lui disait plus rien.

Jaatinen rendit à la bibliothèque les livres qu'il avait empruntés, acheta par la même occasion un peu d'alcool et passa une soirée tranquille à boire et à se faire cuire des œufs dans une poêle en fonte.

« Quelle vie », se dit-il en lui-même.

Mais le chantier s'achevait, en avance même sur le calendrier prévu. Le tablier fut coulé en septembre et l'ingénieur, pour se changer les idées, décida d'organiser sur le pont une fête à tout casser. Il acheta un bon stock de boissons et déclara aux hommes qui venaient de prendre leur travail :

« On va passer la journée à trinquer. Le pont sera bientôt prêt et ensuite je partirai. »

Les ouvriers ne se firent guère prier. Ils se mirent à boire avec enthousiasme en l'honneur de l'achèvement de l'ouvrage. Vers midi, un détachement de quelques hommes fut envoyé au village afin de compléter les réserves. À leur retour, ils racontèrent que les chants et autres cris de joie de leurs camarades restés sur le chantier s'entendaient jusqu'au bourg.

Jäminki, Roivas, Jokikokko, Ollonen et Rummukainen se réunirent dans l'après-midi. Ils écoutèrent la tête penchée le tintamarre de la Tuerie, le visage éclairé d'une joie mauvaise. Ils convoquèrent aussitôt à Kuusmäki le directeur départemental des Ponts et Chaussées, qui se déplaça à contrecœur jusqu'au bourg. Ses hôtes lui dirent :

« Écoutez le raffut qu'ils font. »

Le directeur départemental tendit l'oreille. Il ne faisait aucun doute qu'on se soûlait sur le chantier du pont, dans les grandes largeurs et avec force braillements.

« On dirait qu'il y a une sacrée fête, là-bas, difficile de prétendre le contraire.

– Nous avons un peu étudié la loi, dit Jäminki. Pour ce que nous en savons, dans un tel cas, tout fonctionnaire de l'État doit être immédiatement révoqué. Vous n'avez plus qu'à l'annoncer à l'ingénieur. »

Le directeur départemental hésitait. Licencier Jaatinen ?

« Est-ce vraiment si grave... Le pont est presque prêt, il quittera de toute façon bientôt Kuusmäki. Et on manque de bons ingénieurs, de nos jours, ça m'ennuierait de le révoquer.

– Nous vous dénoncerons à la direction générale des Ponts et Chaussées si vous ne prenez pas immédiatement les mesures nécessaires, dit Jäminki.

– C'est votre dernier mot ?

– Oui. »

Ainsi le sort de Jaatinen fut-il scellé. Le directeur départemental se rendit au pont de la Tuerie, gara sa voiture et en descendit.

La fête battait effectivement son plein sur le chantier. Les hommes dansaient sur le tablier bétonné de frais, quelqu'un jouait de l'accordéon, l'ingénieur Jaatinen faisait la bringue avec les autres, on jouait aux cartes au bord de la rivière et, sous le pont, quelques hommes tripotaient des femmes bien disposées qui, attirées par le bruit des réjouissances, avaient trouvé leur chemin jusque-là. Les chants et les cris résonnaient loin dans les bois et les landes alentour.

Le directeur départemental prit Jaatinen à part, lui annonça :

« Mon cher Akseli. Je suis désolé d'avoir à te dire que tu es relevé de tes fonctions au service des Ponts et Chaussées. Ne le prends pas mal, les édiles de Kuusmäki ont menacé de se plaindre de moi. Et d'ailleurs on n'a jamais toléré ce genre de fêtes. Tu es donc libéré de tes obligations à partir de cet instant. »

Pour Jaatinen, l'affaire était réglée, mais Manssila réagit :

« Nous ferons grève si vous n'annulez pas cette décision. Jaatinen est le meilleur maître d'œuvre pour qui j'aie jamais travaillé. Le chantier a même de l'avance sur le calendrier.

– Je regrette, la question n'est pas négociable. Le règlement des Ponts et Chaussées est certes rigoureux, mais parfaitement clair. »

Quand un nouveau maître d'œuvre vint le lendemain matin remplacer Jaatinen à la Tuerie, les ouvriers refusèrent pourtant de prendre le travail. L'arrivant dut téléphoner en hâte à la direction départementale. Tout au long de la journée, on mena d'âpres négociations, Jaatinen étant représenté par le délégué principal Manssila et les Ponts et Chaussées par le nouveau responsable du chantier. Dans l'après-midi, les Ponts et Chaussées acceptèrent que Jaatinen finisse ce qu'il avait commencé – il restait encore à réaliser l'empierrement des culées et à terminer les garde-corps ainsi que les voies menant au pont. Au terme des discussions, il fut convenu qu'aussitôt l'ouvrage définitivement achevé, le contrat de travail liant Jaatinen aux Ponts et Chaussées serait à jamais dissous.

Le coup fut rude pour l'ingénieur.

Assis à la table de sa baraque de chantier, la tête dans les mains, Jaatinen regardait par la fenêtre le nouveau pont de la Tuerie. Le courant charriait du frasil, résultat des premières gelées nocturnes. Dans sa froide pâleur, la rivière apparaissait maintenant comme un fleuve des enfers à l'ingénieur. Rien d'étonnant à ce qu'il fût, depuis quelques jours, resté presque muet. Il contemplait tristement le beau pont neuf, car il savait que ce serait le dernier de sa vie.

Mais ensuite sa morosité se dissipa comme d'elle-même. Jaatinen doubla à nouveau les équipes et l'ouvrage fut définitivement achevé en un peu plus d'une semaine. L'ingénieur prit ensuite la liberté d'accorder à tout le chantier trois jours de congés payés en l'honneur du travail accompli. Puis on vit arriver de Helsinki, pour l'inauguration du nouveau pont de Kuusmäki, quelques personnalités de gros calibre. Les villageois se rassemblèrent en rangs serrés sur le pont, même le directeur des travaux communaux Kainulainen osa à nouveau s'y montrer. En sa qualité de maire de la localité, Jäminki tint naturellement un discours :

« Ce pont de la Tuerie est donc enfin prêt, bien qu'il faille avouer que nous avons cette année, dans notre commune, suivi l'angoisse au cœur les progrès de ce chantier. Notre inquiétude était d'autant plus grande que nous réclamions depuis déjà plus de trente ans la construction d'un nouveau pont sur notre chère rivière et que, quand les travaux ont enfin commencé, il s'est produit dès le début toute une série d'événements regrettables qui, comme je l'ai dit, nous ont remplis d'appréhension. Ce chantier a même été le théâtre d'un déplorable conflit et d'une grève qui, malgré sa brièveté, ne peut qu'entacher d'une ombre malheureuse ce pont par ailleurs bienvenu. Je ne veux nullement, par ces paroles que certains jugeront peut-être trop critiques, montrer du doigt la direction générale des Ponts et Chaussées, ni son bureau départemental, qui a finalement pris les mesures que les habitants de la commune ont, depuis le printemps dernier, préconisées puis exigées.

Un grand merci, donc, aux représentants des Ponts et Chaussées ici présents, bienvenue à l'inauguration de ce pont de la Tuerie si cher à notre cœur. Monsieur le préfet, soyez aussi le bienvenu, ainsi que madame la préfète, naturellement. Soyez tous les bienvenus, merci. »

Jäminki coupa le ruban de soie bleu et blanc tendu entre les garde-fous. Les extrémités s'envolèrent au vent, l'une d'elles s'enroula autour du cou et de la poitrine du maire. Les ouvriers du chantier scandèrent :

« Le ruban ! Le ruban ! »

L'inauguration se termina sur cette scène. Pendant toute la cérémonie, Jaatinen était resté assis dans sa baraque de chantier à regarder par la vitre sale le baptême de son dernier pont, et par la même occasion le sien comme ingénieur des ponts au chômage, lui qui en avait construit trente. Il ne travaillerait plus jamais pour l'État, et les entreprises privées, en Finlande, ne commanditent guère ce genre d'ouvrages.

Quand les invités furent partis et que les villageois eurent fini de danser sur le nouveau pont, Manssila et Pyörähtälä vinrent voir l'ingénieur dans son bungalow. Manssila tenta de lui remonter le moral :

« Ne t'en fais pas, Jaatinen. Nous aussi nous sommes au chômage, maintenant que le chantier est terminé. C'est le sort de l'ouvrier, faire son travail pour ne plus en avoir ensuite, c'est la règle quand on construit. On ne s'y habitue jamais.

– Un ingénieur licencié n'a aucune chance de trouver un autre poste.

– Monte ta propre entreprise, dit Pyörähtälä.

– Allons boire un coup », proposa Manssila.

Ainsi s'en allèrent-ils tous les trois prendre un verre.

Le pasteur Roivas regardait dans la rue par la fenêtre du presbytère quand les trois chômeurs passèrent à grandes enjambées sous ses yeux. L'homme d'Église eut d'abord un sourire satisfait : on avait enfin montré à Jaatinen qu'il n'y avait pas à plaisanter avec les Kuusmäkiens. C'était un ingénieur sans emploi qui se promenait là, Dieu merci ! Une vague pitié lui effleura ensuite l'esprit, et il marmonna :

« Seigneur, j'espère que nous n'avons pas, pauvres pécheurs, été trop loin dans cette affaire ? Une vengeance aussi cruelle T'est-elle agréable, ou avons-nous fait du tort à notre prochain ? »

Tout sentiment de pitié ou de remords disparut cependant bien vite de l'esprit de Roivas, surtout quand il vit le trio prendre la direction du *Motel de la grand-route.* Le pasteur songea, satisfait :

« Mais nous devons, pauvres pécheurs, nous rappeler que Tu es aussi, Seigneur, un dieu vengeur. »

12

Pendant l'été, à Helsinki, Jaatinen avait eu l'idée de faire immatriculer au registre du commerce une société en nom propre qu'il avait baptisée, un peu par plaisanterie, Bétons et Boues du Nord. Maintenant qu'il était au chômage, il y repensa. Peut-être pourrait-il, après tout, tenter de se mettre à son compte.

Manssila lui apprit que la municipalité de Kuusmäki avait décidé de construire dans le centre du bourg un réseau de distribution et d'évacuation des eaux, ainsi qu'une station d'épuration. C'était un gros marché qui attendait preneur. Et le chantier donnerait du travail aux chômeurs du canton.

Jaatinen décida de se renseigner. Il alla voir la secrétaire de mairie dans son bureau :

« Écoute, Koponen. Je veux tous les dossiers relatifs au programme de construction de la commune, je repasse les prendre dans une heure. »

Quand l'ingénieur fut parti, Jäminki vint demander ce qu'il était venu trafiquer à la mairie. Irene Koponen lui fit part de sa demande. Le maire s'interrogea :

« Qu'est-ce qu'il a encore derrière la tête ? Qu'est-ce que quelqu'un comme lui peut faire de renseignements sur le programme de construction de Kuusmäki ? Pas question de les lui donner.

– Mais ce sont des documents publics, dit Koponen.

– Alors donne-les-lui. Qu'est-ce qui lui prend, il ne pourrait pas quitter ce canton sans faire d'histoires ? »

Une heure plus tard, Jaatinen vint chercher les papiers. Ils confirmaient qu'il avait été décidé de construire dans la commune de Kuusmäki un réseau de distribution et d'évacuation des eaux, l'actuel ne couvrant que quelques pâtés de maisons aux alentours du lycée mixte et de la maison paroissiale. L'installation d'une station d'épuration était aussi prévue dans un proche avenir. Plus tard, on édifierait également une résidence pour personnes âgées et de nouveaux bâtiments scolaires. Jaatinen alla voir le directeur des travaux communaux dans son bureau. Kainulainen sursauta, se leva de sa chaise, recula jusqu'au mur du fond, mais l'ingénieur lui fit signe de s'asseoir et prit lui aussi un siège.

« Ne sois pas si nerveux. Donne-moi l'appel d'offres pour les chantiers municipaux de l'hiver prochain, le réseau de distribution et d'évacuation des eaux et la station d'épuration. Je suppose qu'il est prêt ?

– Oui, mais pourquoi devrais-je te le donner… l'avis d'appel d'offres doit être publié dans le journal, d'ailleurs ç'a déjà été fait, il y a deux semaines, mais on n'a encore reçu aucune soumission.

– Donne-moi tout de suite cet appel d'offres, et les plans qui vont avec. »

Jaatinen se leva, shoota rageusement dans le pied du bureau, le téléphone tomba par terre. Kainulainen plongea vers l'armoire à dossiers, en sortit les papiers nécessaires, les tendit à l'ingénieur :

« Prends, prends, mais tu n'auras pas ce marché, je te le garantis.

– La ferme. »

Jaatinen exigea de voir le plan de financement interne de la municipalité et prit quelques notes. Puis il quitta les bureaux de la mairie. Du hall, il téléphona à Pyörähtälä et lui demanda de venir tout de suite au *Motel de la grand-route.*

Avant d'y aller lui-même, il passa à la papeterie acheter une grande enveloppe brune. Il fourra dedans les documents qu'il venait d'obtenir, écrivit dessus le nom et l'adresse de son avocat à Helsinki, colla les timbres nécessaires sur le pli et le jeta dans la boîte aux lettres.

Pyörähtälä l'attendait dans un salon particulier du motel. Jaatinen commanda à déjeuner pour deux. Pendant qu'ils mangeaient, il expliqua ses projets.

« Je te prends comme chef de bureau de Bétons et Boues du Nord. Mais ne dis rien à personne pour l'instant, parce que je vais faire une offre pour le compte de la société et une autre, plus avantageuse, sous mon nom. Je peux te payer deux mille marks par mois pour commencer, avec une augmentation à la clef si l'entreprise marche bien. Je vais aller à Helsinki vendre mon appartement afin d'obtenir un capital de départ, et négocier un prêt pour le reste. Je te charge de trouver pendant ce temps un bureau convenable. Achète aussi cette baraque de chantier de la Tuerie et loue en ville du matériel de terrassement, voilà la liste. Je te laisse deux mille marks, tiens soigneusement le compte des dépenses. »

Après le repas, Jaatinen fila à Helsinki, où il resta une semaine. Quand il revint, il avait trouvé moyen d'établir son offre personnelle pour la construction d'un réseau de distribution et d'évacuation des eaux et d'une station d'épuration. Le coût total dépassait légèrement les trois millions deux cent mille marks prévus par la commune dans son plan de financement.

Parallèlement, l'avocat de Jaatinen avait envoyé à Kuusmäki l'offre de Bétons et Boues du Nord. Cette soumission était plus détaillée que l'autre, mais également calculée et rédigée par l'ingénieur lui-même. Il y respectait aussi les grandes lignes du plan de financement municipal, mais parvenait à un total de trois millions huit cent mille.

Jaatinen remit son offre en personne à la secrétaire de mairie Koponen, qui lui fournit un reçu. Il la regarda dans les yeux d'un air furieux. Elle frissonna, se retira dans son box le visage en feu.

Pyörähtälä aussi avait agi. Il avait réussi à louer un bureau de deux pièces au-dessus du crédit mutuel, acheté une calculatrice et une machine à écrire et même fait raccorder le téléphone au réseau de Kuusmäki. Il avait fallu payer d'avance plusieurs mois de loyer car le directeur de la banque jugeait peu probable que l'ingénieur obtienne le marché de construction du réseau d'eau, d'ailleurs personne dans la commune n'y croyait. Jäminki et plusieurs autres élus avaient déclaré qu'il n'était pas question de donner du travail à Kuusmäki à Jaatinen, après toute la pagaille qu'il y avait semée. C'était hors de question.

À Helsinki, Jaatinen avait vendu son appartement, il avait vite trouvé un acquéreur en le proposant un peu au-dessous du prix du marché. Puis il avait mené de longues et fatigantes négociations avec des établissements financiers afin d'obtenir des fonds pour le futur chantier. Au bout du compte, on lui avait accordé un prêt d'un demi-million de marks. La somme ne serait cependant versée que s'il remportait le marché. La situation était donc encore incertaine, et risquait de le rester.

« Alors comme ça, vous avez l'intention de vous lancer dans l'entreprise avec du matériel en location, et avec des capitaux d'emprunt... mauvaise affaire. Enfin, allez-y, si vous obtenez ce gros chantier nous en financerons le quart. Mais il ne doit pas y avoir une seule commune dont les élus soient assez naïfs pour adjuger des travaux aussi importants à une entreprise inconnue. »

C'est ce que dirent les banquiers.

Le jour arriva enfin où le conseil municipal de Kuusmäki se réunit pour trancher la question du réseau d'eau et de la station d'épuration de la commune. Les élus savaient que Jaatinen au moins avait déposé une soumission à la mairie... quel incroyable entêtement, se disaient-ils. « Est-il vraiment assez fou pour croire que nous pourrions lui adjuger ce marché ? »

Le chef des travaux communaux Kainulainen exposa la situation. La mairie n'avait reçu que trois soumissions. La première était celle de l'ingénieur des ponts Akseli Jaatinen (rires), la deuxième celle de Bétons et Boues du Nord, la dernière était un avant-projet d'une entreprise de bâtiment et travaux publics de Helsinki. Son prix dépassait les quatre millions de marks, la commune n'en avait pas les moyens. L'offre de l'ingénieur Jaatinen était financièrement la plus avantageuse, à trois millions deux cent mille marks, celle de Bétons et Boues du Nord se montait à trois millions huit cent mille. Kainulainen lut les deux soumissions et expliqua en détail leurs conditions. Les élus posèrent des questions pour la forme, jusqu'à ce que Jäminki dise :

« Est-ce que quelqu'un connaît cette entreprise des Bétons et Boues du Nord ? Ce nom me dit quelque chose, elle doit être réputée pour sa solidité financière et pour la qualité de son travail, non ? »

Les autres avaient la même impression. Le prix paraissait cependant assez élevé, par rapport à l'offre de Jaatinen. Le directeur des travaux communaux demanda la parole :

« Il ne faut pas oublier que Jaatinen est ingénieur des ponts, il ne peut pas s'y connaître aussi bien en assainissement qu'une entreprise spécialisée. Il a peut-être aussi pu se renseigner sur le plan de financement de la commune et s'appuyer froidement sur mes calculs pour faire son offre. À mon avis, le conseil se doit de prendre une décision rationnelle. Nous connaissons ce Jaatinen depuis le printemps dernier, et je crois que nous en avons tous assez de cet ingénieur si "extraordinaire".

– Jaatinen nous a quand même construit un excellent pont », dit le délégué Manssila.

Le maire frappa de son maillet sur la table.

« Toi, Manssila, ne viens pas mélanger cette histoire de pont à nos problèmes de canalisations. La Tuerie n'est pas à l'ordre du jour. Je propose d'écarter la soumission de Jaatinen sans même la considérer plus en détail… disons pour vice de forme, comme d'ailleurs cette troisième offre hors de prix, et d'examiner le dossier de Bétons et Boues du Nord. »

Ainsi fit-on. Le conseil étudia la soumission en question pendant près de deux heures, puis Jäminki ponctua d'un coup de maillet la décision de la municipalité de Kuusmäki d'adjuger à ladite entreprise les travaux de construction du réseau de distribution et d'évacuation des eaux du centre du bourg ainsi que de la station d'épuration. La séance fut levée, les édiles allèrent prendre le café.

« Jaatinen a du plomb dans l'aile », commentèrent-ils en riant.

Jäminki dit :

« Les mauvais patriotes n'ont jamais fait la loi dans ce canton, et ce n'est pas aujourd'hui que ça va changer. »

Le lendemain, l'avocat de Jaatinen fit le déplacement de Helsinki à Kuusmäki afin de signer le contrat d'entreprise définitif au nom de Bétons et Boues du Nord. La municipalité était représentée pour l'occasion par le maire Jäminki et le directeur des travaux communaux Kainulainen. Une fois les papiers paraphés, les hommes se serrèrent la main. Pour fêter la passation de marché,

Jäminki invita l'avocat à déjeuner au *Motel de la grand-route* et, pendant le repas, la secrétaire de mairie Koponen vient lui apporter un chèque de deux cent mille marks correspondant au premier versement prévu au contrat. Jäminki et Kainulainen émirent le vœu que les travaux commencent au plus vite, conformément au programme de construction.

Leur souhait fut exaucé.

Le matériel loué par Pyörähtälä – une pelle mécanique et deux camions – arriva en grondant dans le bourg dès le lendemain matin. Jaatinen embaucha sur-le-champ une dizaine d'ouvriers restés au chômage depuis la fin du chantier du pont de la Tuerie.

Quelle ne fut pas la surprise des Kuusmäkiens quand l'ingénieur s'avança avec ses hommes vers les machines venues de la ville et apposa sur leurs flancs des autocollants sur lesquels il était écrit : « Bétons et Boues du Nord ».

Jaatinen sauta d'un bond souple dans la cabine de la pelleteuse, fit rugir le diesel, leva le godet vers le ciel avant de le planter avec force dans le sol. L'asphalte se fendit sous le choc, l'acier pénétra dans la terre de Kuusmäki, la rue s'éventra au premier effort. Manssila et Pyörähtälä apportèrent des barrières jaune et rouge auxquelles le commissaire Kavonkulma vint fixer des panneaux de signalisation organisant sur une seule voie la circulation de la rue principale de Kuusmäki.

Quand on vit tout cela des fenêtres de la mairie, voici ce qui s'ensuivit : la secrétaire de mairie Koponen courut pleurer dans les toilettes, le maire Jäminki se rua dans le bureau de Kainulainen et y resta, à beugler si fort qu'on l'entendit à travers la porte fermée. On apprit le jour même que le directeur des travaux communaux avait présenté sa démission, que le conseil municipal accepta à l'unanimité à sa plus proche réunion. Kainulainen décampa de Kuusmäki deux semaines plus tard et on ne l'y revit plus jamais.

Jaatinen, quant à lui, enfonça d'une botte en caoutchouc boueuse la pédale d'accélérateur crissante de sable de la grosse pelleteuse, son godet se dressa au sommet du bras hydraulique telle la large gueule d'un terrible tyrannosaure, le lourd diesel gronda, une scintillante pluie d'étincelles jaillit dans l'air pur par le tuyau d'échappement du toit de la cabine et les dents de la pelle s'enfoncèrent dans les profondeurs du sol encore durci par le gel. La terre tangua quand elles en arrachèrent un mètre cube de sable et de pierres, un câble se rompit telle une tige de pissenlit et, au même instant, toutes les lumières s'éteignirent dans la mairie, les machines à écrire électriques se turent, et la secrétaire de mairie Koponen resta à sangloter dans les toilettes plongées dans le noir.

13

Jaatinen organisa son chantier au mieux de ses capacités. Il commença par chercher à proximité du bourg un terrain pour entreposer son matériel, et en trouva d'ailleurs un sans peine. Il y avait à un kilomètre environ du centre du village, dans une vaste lande sablonneuse, un vieil aérodrome abandonné construit après la guerre pour accueillir des planeurs. La bruyère avait reconquis les pistes, personne n'utilisait plus le champ d'aviation. Jaatinen l'acheta pour une bouchée de pain à l'Aéro-club de Kuusmäki, qui l'avait jadis reçu gratuitement en cadeau. L'enthousiasme pour les sports aériens s'était si bien refroidi depuis dans le canton que les membres encore en vie du conseil d'administration du club acceptèrent immédiatement le marché ; pour la première fois de son existence, l'association eut un peu d'argent dans ses caisses. Les anciens amateurs de machines volantes décidèrent d'organiser avec le produit de la vente un dîner de dissolution de l'Aéro-club. Après le repas, on chanta *Là-haut dans les cieux l'aviateur est heureux.*

C'est ainsi que Jaatinen contribua à clore l'épopée de l'aviation de Kuusmäki. Il inaugura en même temps la première page de l'histoire de l'industrialisation du canton : il transforma le vieux terrain d'aviation en dépôt central de son entreprise, fit construire quelques petites baraques, installa une modeste cantine de chantier. On vit aussi s'élever un atelier de maintenance pour les engins de terrassement, et les pannes les moins graves furent dorénavant réparées sur place.

En novembre, Jaatinen lui-même emménagea au-dessus du crédit mutuel, dont le directeur lui loua sans hésiter deux pièces de plus à côté des bureaux déjà occupés par son entreprise. Le coup d'éclat de l'ingénieur, lors de la passation de marché, avait fait forte impression sur le banquier. « Le mutualisme est un concept ouvert », déclara-t-il à Jäminki quand ce dernier s'interrogea sur le bien-fondé idéologique de sa décision.

Les travaux avançaient vite. Jaatinen put bientôt embaucher le reste des anciens ouvriers du pont de la Tuerie, et une vingtaine d'hommes s'activèrent ainsi à la construction du réseau d'eau. Un flot de fournitures arrivait sur le champ d'aviation, en provenance de diverses usines : conduits en béton, gros tuyaux de plastique, gigantesques valves, parpaings en béton cellulaire, planches, transformateurs de soudage, acier de construction, ciment, chaux... Les portières des camions claquaient, les grues déchargeaient la marchandise, la brume bleue du gazole flottait dans l'air glacé.

Les travaux créaient par moments de tels embouteillages

dans le village que les gens s'en plaignirent au commissaire Kavonkulma. Mais ce dernier ne voulut rien savoir, se contentant de déclarer :

« Les fonctionnaires de police n'ont pas à se mêler de petits désagréments résultant de l'activité d'entreprises privées. »

Les stations de pompage et d'épuration furent construites au bord du lac de la Tuerie. Il fallut, pour faire passer les canalisations, creuser une tranchée dans le roc. On équipa le chantier d'une sirène qui se mit à hurler chaque jour des signaux d'alarme annonçant les dynamitages. Les explosifs tutoyèrent le rocher, ce dernier céda la place, on entassa les débris dans des camions et on les évacua. Il arrivait que le boutefeu de Jaatinen, dans sa hâte, force peut-être un peu la dose en chargeant les trous de mine, et les villageois se jetaient alors à plat ventre sur le sol, terrifiés, croyant leur dernière heure venue, car le grondement du sautage faisait tanguer la terre comme parfois sur le front pendant la guerre. Un jour où l'on creusait devant la mairie la partie de la tranchée située dans le village, l'ingénieur alla prévenir les employés municipaux qu'il fallait par précaution évacuer les lieux le temps du dynamitage. La secrétaire de mairie Koponen et ses collègues quittèrent les bureaux, mais Jäminki dit à Jaatinen :

« Je ne bouge pas de là. Tu n'as qu'à utiliser des charges plus faibles, au lieu de mettre la vie des gens en danger.

– Le granit ne se laisse pas faire si facilement, tu ferais mieux de t'en aller, pour ta sécurité. »

Jäminki refusa de quitter son bureau. L'ingénieur préféra ne pas insister et entreprit de charger les trous avec le boutefeu. De l'excavation, il vit Jäminki assis à son bureau à lire des papiers.

L'amorçage terminé, Jaatinen brancha comme d'habitude la sirène d'alarme. La plainte dura longtemps, les ouvriers se mirent à l'abri, tête baissée. L'ingénieur jeta encore une fois un regard à la fenêtre de la mairie et sursauta : Jäminki avait malgré tout quitté son bureau. Il apparut soudain sur le perron, cherchant un refuge, au moment même où l'excavation se mettait à gronder. Une série d'explosions fit voler le rocher en éclats, le sol vibra, Jäminki se précipita du perron dans la cour sous une pluie de débris de terre et de pierre. Puis le tonnerre se tut, la sirène siffla la fin de l'alerte. Le maire se releva, tout pâle, la veste et le pantalon tachés de boue et de sable.

« Tu n'as pas perdu de temps », dit-il, secoué, à Jaatinen. Après avoir épousseté ses vêtements, il monta dans sa voiture et rentra chez lui, apparemment dégoûté pour la journée des tâches administratives de la commune.

Le journal local, *La Gazette de Kuusmäki,* publia des photos des travaux et même une interview de Jaatinen. Dans le courrier des lecteurs, en revanche, le chantier était décrit comme dangereux. Comme ces commentaires se répétaient, l'ingénieur envoya Pyörähtälä faire un saut au journal. Le rédacteur en chef-gérant, Itkonen, un instituteur à la retraite, invoqua la déontologie et la liberté de la presse mais quand Pyörähtälä lui fit une proposition de rachat de ses parts dans l'entreprise, ce journaliste soucieux d'éthique fut suffisamment intéressé pour accepter de négocier avec Jaatinen. Ce dernier acquit ainsi une participation de vingt mille marks dans le journal, un tiers du capital actions. Le rédacteur en chef Itkonen ne publia plus ensuite aucun écrit dirigé contre l'ingénieur, préférant se consacrer à occuper une table au *Motel de la grand-route,* avec tant d'assiduité que la gazette parut une ou deux fois en retard et qu'un numéro aurait même manqué un jour à l'appel si Pyörähtälä n'avait pas sauvé la situation en rédigeant un article d'une page sur Bétons et Boues du Nord.

Les villageois suivaient avec étonnement les progrès de l'immense chantier ; Jaatinen, avec ses initiatives, était le sujet de conversation favori de Kuusmäki. On s'interrogeait, on prédisait la faillite, l'enlisement du grandiose projet.

Les méchantes langues rappelaient que Jaatinen était un ivrogne, un briseur de ménage, un sympathisant communiste, un traître à sa classe... et un maître chanteur, un violeur, même, le cas de Mme Leea Rummukainen était de notoriété publique. La subornation de la secrétaire de mairie Koponen était encore aussi dans toutes les mémoires. Mais on ne disait plus de Jaatinen qu'il était sans le sou, il n'avait certes toujours pas acheté de voiture, mais tout le monde savait qu'il avait fait l'affaire de sa vie en détournant à son profit la réalisation du programme de construction de Kuusmäki. Beaucoup le traitaient de « carotteur de millions », qualificatif qui n'était peut-être pas dénué de tout fondement. On évoquait le directeur des travaux communaux, Kainulainen, dont la chute était mise sur le seul compte de l'ingénieur.

L'on venait parfois rapporter ces commérages à Jaatinen lui-même. Il accueillait les propos des villageois avec un dédain tranquille. Il disait juste :

« Ce n'est qu'un début. Tout Kuusmäki et ses habitants comprendront bientôt avec qui ils ont voulu plaisanter. Je leur montrerai, et ça ne prendra pas des années. »

Ainsi en arriva-t-on à Noël.

Le soir du réveillon, Jaatinen prit la pelleteuse pour aller chercher un joli petit sapin dans la forêt derrière le terrain d'aviation. Il l'arracha du sol avec ses racines, le secoua un peu entre les dents du godet et repartit vers le village. Il fredonnait *Mon beau sapin* en cahotant dans son engin sur la route enneigée du bourg. Devant la coopérative, l'ingénieur arrêta la pelleteuse, entra acheter quelques poignées de décorations de Noël. En sortant du magasin, il tomba sur Mme Leea Rummukainen.

« Joyeux Noël, Leea !

– Joyeux Noël, Akseli. Et pardonne-moi pour cet automne…

– Comment ça ?

– Eh bien, pour ce que j'ai dit, que tu m'avais retenue de force dans l'île… j'avais si peur qu'on se fasse tuer tous les deux… je ne suis pas si mauvaise que tu le crois. »

Jaatinen fit un geste de la main : laissons ces vieilles histoires !

Mme Leea Rummukainen lui glissa un petit paquet dans la paume. C'était un cadeau de Noël, tiens, elle ne se trouvait donc pas tout à fait par hasard à la coopérative. L'ingénieur se troubla, ôta sa casquette et remercia. Mme Rummukainen rougit et repartit en hâte sur sa trottinette des neiges. Jaatinen la regarda s'éloigner, elle avait l'air étonnamment dodue dans son manteau d'hiver. Puis il comprit ce qui l'arrondissait : elle était enceinte ! Allons bon, le proviseur Rummukainen avait quand même accompli quelque chose depuis l'automne dernier. Une morsure de jalousie vint entamer la joie de Noël de Jaatinen. Il grimpa dans la cabine de la pelleteuse, alla se garer dans la cour du crédit mutuel, prit son sapin sous le bras, monta chez lui et ouvrit le cadeau de Leea. Il contenait quelques excellents cigares. Parfait, absolument parfait ! Rien n'égaie mieux qu'un bon havane le Noël d'un homme solitaire.

14

« Je vais jeter sur ce canton un sort qui le fera ramper. »

C'est par ces mots que Jaatinen, un soir de janvier, ouvrit dans ses bureaux du premier étage du crédit mutuel une réunion restreinte à laquelle n'étaient conviés, en dehors de lui, que Manssila et Pyörähtälä.

« Voici une liste de trente associations. L'idée est de noyauter les plus importantes. Les élections municipales se tiendront à l'automne prochain, d'où cette offensive. Bétons et Boues du Nord va poursuivre ses activités à Kuusmäki, une fois le chantier actuel terminé, je ne sais pas encore sous quelle forme. Mais ça risque d'être difficile si nous ne sommes pas bien informés des affaires de la commune et le mieux, pour se tenir au courant, est d'infiltrer ces organisations. »

Manssila et Pyörähtälä approuvèrent. Sus à la vie associative, d'ailleurs ce serait bientôt la saison des assemblées générales !

Il ne restait plus qu'à se répartir les tâches.

Manssila faisait déjà partie du conseil municipal, où il présidait le groupe des démocrates-socialistes. Il était aussi président de l'union syndicale locale de Kuusmäki. Mais cela ne suffisait pas. Jaatinen suggéra :

« Tu pourrais t'affilier à la ligue paysanne, tu possèdes bien un petit lopin de terre, et tu peux sûrement aussi adhérer à l'association des sous-officiers de réserve, tu as terminé la guerre sergent-chef. Et t'inscrire en même temps chez les anciens combattants.

– Ça m'étonnerait que les sous-officiers de réserve veuillent de moi, protesta Manssila.

– D'après leurs statuts, ils sont obligés de t'accepter, c'est une association apolitique, du moins officiellement, tes sympathies de gauche ne les regardent pas. Alors vas-y, et essaie de te faire nommer au bureau. S'il te reste du temps, adhère aussi à la société des éleveurs de chevaux. Tu as bien eu un jour un bourrin ? »

Il s'avéra que Manssila avait possédé un cheval à peine trois ans plus tôt, et l'aurait sans doute encore eu si le proviseur Rummukainen ne l'avait pas pris pour un élan au cours d'une partie de chasse.

« Pour toi, Pyörähtälä, je pensais au Lions Club de Kuusmäki. Tu es quand même chef de bureau. Fais pression pour te faire coopter. Et comme tu es le seul d'entre nous qui soit membre de la paroisse et qui sache chanter, tu vas te joindre aux répétitions de la chorale de l'église. Tu pourrais aussi adhérer à la ligue antialcoolique, ils t'accueilleront sans problème si tu leur expliques que tu cherches à diminuer ta consommation. Une fois admis, tu pourras te faire nommer membre de la commission communale de lutte contre l'alcoolisme. Un collaborateur officiellement sobre peut être un sérieux atout pour Boues et Bétons du Nord. »

Manssila et Pyörähtälä voulurent savoir à quelles associations Jaatinen lui-même avait pensé adhérer.

« Il y a encore tout ce qu'il faut sur cette liste. Je vais m'enrôler dans les rotariens, l'association des officiers de réserve de Kuusmäki, la section locale d'Aide à l'enfance, la société de chasse... j'ai aussi l'intention de postuler, et d'être élu, au conseil d'administration de l'association sportive des Cracks de Kuusmäki. »

Pyörähtälä fit remarquer qu'adhérer à l'association des officiers de réserve risquait d'être assez difficile, car d'après ses souvenirs Jaatinen n'était même pas gradé, tout juste simple soldat.

« Il n'y a qu'à dire que je suis maintenant officier. Par exemple lieutenant.

– Ton arme et ton centre d'instruction ? On va forcément te les demander, dit Manssila.

– Lieutenant des blindés, Parola. Il faut d'ailleurs que j'en parle à Kavonkulma, il se débrouillera pour me faire admettre. »

Une fois les rôles distribués, Jaatinen proposa de transformer Bétons et Boues du Nord en société anonyme. L'idée fut retenue, et Manssila fut par la même occasion nommé contremaître. Pyörähtälä se trouva chargé de s'occuper de la modification des statuts.

15

En février, les rotariens de Kuusmäki décidèrent d'aller exercer leur charité à la ferme de la veuve Reivilä – celle-là même, entre parenthèses, dont le fils avait été éborgné un peu plus d'un an auparavant par le commissaire Kavonkulma. Ce dernier fut « empêché » de venir car il se trouvait hélas être de permanence ce dimanche-là. Les autres rotariens étaient tous présents, y compris Jaatinen, qui avait été invité à se joindre au club sur proposition du commissaire Kavonkulma.

Le pasteur Roivas, président du Rotary Club de Kuusmäki, avait plaidé contre cette expédition secourable au motif que de telles activités s'inscrivaient plus dans le profil du Lions que du Rotary, mais on l'avait convaincu en lui faisant remarquer qu'il coûtait moins cher de faire la charité en public qu'en secret et que le rendement était en conséquence meilleur par rapport aux efforts consentis. Les rotariens étaient donc unanimement en route pour la maison de la veuve Reivilä. Le gros de la troupe parcourut en voiture les quelques kilomètres de route enneigée qui séparaient le bourg de sa ferme, suivi un quart d'heure plus tard à bicyclette par l'ingénieur Jaatinen, l'haleine embuée, oreillettes rabattues et moufles en peau de chien aux mains.

L'objectif des rotariens était de réparer la maison de la veuve, mal entretenue depuis des années. Une vieille femme a forcément du mal à assurer seule l'entretien d'une ferme, et un fils borgne est plus une charge qu'une aide.

La veuve avait préparé le café pour les vingt et quelques rotariens. Il n'y avait d'ailleurs guère de place dans la salle pour autre chose que la grande table dressée avec soin. La maîtresse de maison se mit en quatre, servit le café en claudiquant, porta leurs tasses aux visiteurs assis tout autour de la pièce. Le jeune borgne était réfugié dans la chambre, effrayé par la foule, son œil encore valide brillait apeuré dans un coin. Pleins de tact, les rotariens ne tentèrent guère de bavarder avec lui, constatant seulement :

« Le petit monsieur a l'air un peu timide. »

Quand ils eurent fini leur café, les visiteurs se lancèrent avec enthousiasme dans leur œuvre caritative. Certains allèrent à l'étable pelleter la paille souillée qui commençait à geler, un petit groupe entreprit de fendre du bois, d'autres grimpèrent sur le toit pour le déneiger, quelqu'un porta les matelas dehors afin de les aérer.

L'hygiéniste, dans son enthousiasme, battit cependant les vieilles paillasses avec une telle énergie que la toile moisie se fendit, laissant échapper les balles d'avoine dans la cour, d'où les bourrasques de neige les éparpillèrent alentour.

On tint aussitôt conciliabule : il fut convenu d'acheter de nouveaux matelas, en mousse, et de les offrir gracieusement à la veuve à la place des anciens. Dans l'euphorie de cette décision, les rotariens portèrent dehors toutes les paillasses qu'ils trouvèrent dans la maison, leur ouvrirent le ventre avec entrain et déversèrent les balles d'avoine derrière la remise. Quelqu'un eut l'idée de déchirer les enveloppes des matelas en fines lanières, la veuve aurait ainsi en abondance de quoi faire des tapis en lirette ! Bienvenue à l'ouvroir du village, madame, pour travailler sur le métier à tisser, au printemps prochain !

On sortit des voitures quelques pots de peinture qu'on porta à l'intérieur et, quand on eut arraché les papiers peints des murs, on entreprit de leur donner un nouvel aspect. Les rouleaux allaient et venaient avec entrain, les éclaboussures giclaient sur le plancher, mais impossible de le protéger car la veuve, ne lisant pas les journaux, n'en avait pas de vieux en réserve. Les murs brillèrent bientôt de couleurs claires dans la pâle lumière hivernale. La vieille femme, quant à elle, avait dû aller s'asseoir dans sa chambre à côté de son fils borgne, car l'odeur de térébenthine de la peinture agressait si violemment ses poumons asthmatiques que les quintes de toux lui avaient fait tomber des mains les tasses à café qu'elle lavait.

Jaatinen se dirigea d'un pas tranquille vers l'étable où le pasteur Roivas, armé d'une barre de fer, s'acharnait à casser la plaque de bouse gelée et, du bout de ses souliers vernis noirs, envoyait les mottes à grands coups de pied vers la fumière, tels des palets de hockey sur glace. La porte de la fumière était grand ouverte, la bise soufflait dans l'étable. Jaatinen referma le double vantail.

« Laisse ouvert, tu vois bien que je transpire, et puis ça pue, ici. Tu gênes nos efforts, tu ferais mieux de te rendre utile », se plaignit Roivas.

Jaatinen refusa de rouvrir la porte, faisant remarquer que les deux vaches de la veuve risquaient d'attraper une fièvre de lait, avec ce blizzard.

« Ah oui… je n'y avais pas pensé. »

Jaatinen voulut savoir pourquoi la fermière ne vendait pas un peu de bois et ne remettait pas elle-même sa maison en état. Le pasteur lui expliqua que ses pinèdes, trop jeunes et trop denses, n'étaient pas exploitables. Ce genre d'arbres n'intéressaient pas les scieries. La veuve aurait certes pu vendre du bois en stères, mais sa forêt était trop peu étendue pour que de grosses entreprises jugent rentable d'acheter sur pied, et le garçon, surtout maintenant qu'il avait la vue basse, était incapable de bûcheronner lui-même.

Jaatinen laissa le pasteur transpirer derrière les portes de la fumière. Il alla faire un tour dans la forêt enneigée, regarda les arbres. C'était effectivement de jeunes pins plantés serré, qui feraient de parfaits étais de chantier. L'ingénieur décida de demander à la veuve si elle serait disposée à lui vendre une cinquantaine de stères, cela lui ferait de l'argent pour un bon moment, et ses forêts ne pouvaient que gagner à être éclaircies.

En revenant des bois, Jaatinen répara le treuil du puits et assembla quelques planches pour lui faire un nouveau couvercle, consolida les marches du perron, y cloua une rampe pour que la vieille boiteuse ne risque pas de se tuer en sortant de chez elle, trouva encore le temps de tasser la neige en hauts remblais autour de la maison, jusque sous les fenêtres, afin de protéger les murs du gel, puis de déneiger le chemin jusqu'à l'abri à bidons de lait, au bord de la route, de le retaper par la même occasion car il était tout de guingois et, avant de rentrer à l'intérieur, de rafistoler la porte de la remise en y fixant, à la place des anciennes ferrures rouillées tombées dans la neige, de nouvelles charnières en cuir découpées dans sa ceinture.

Quand les rotariens se rassemblèrent dans la cour pour le départ, Jaatinen demanda au président Roivas pourquoi il n'avait pas été proposé à la veuve de venir s'installer avec son fils dans la maison de retraite du village. Le pasteur marmonna :

« Cette Mme Reivilä a bien demandé une ou deux fois à y entrer, mais son dossier n'a jamais vraiment été examiné. De toute façon il n'y a pas de place, et avec ce garçon qui aime les animaux... et elle est peut-être un peu bizarre elle aussi. En plus, ils ont cette exploitation dont ils peuvent vivre, surtout maintenant que nous sommes venus soutenir leurs efforts et tout remettre en état. »

Une fois les rotariens partis, la veuve put mesurer le résultat. Elle toussait désespérément dans sa chambre, prise à la gorge par les fortes odeurs de peinture. Le garçon alla chercher un seau d'eau au puits, et réussit sans mal à le remonter grâce au treuil réparé par Jaatinen, mais l'eau était si pleine de balles d'avoine échappées des paillasses qu'on ne pouvait l'utiliser pour la cuisine sans la filtrer avec soin. On alluma cependant du feu dans le fourneau, car le froid s'accentuait, mais, dès qu'il se mit à chauffer, il fallut l'éteindre en catastrophe à cause de la peinture fraîche qui commençait à fumer sur le mur voisin. La veuve eut si peur que la maison brûle qu'elle dût boire une gorgée d'eau de Cologne pour calmer ses palpitations.

Elle ferma soigneusement les portes. Son fils et elle ne mangeraient pas chaud ce dimanche. La vieille femme prépara quelques tartines qu'ils mâchonnèrent en attendant l'heure de la traite du soir. Après s'être occupée des vaches, la veuve s'apprêta à dormir. C'est là qu'elle et son fils s'aperçurent qu'ils n'avaient plus de matelas. Dehors, il gelait à pierre fendre, et tous deux s'assirent sur leur sommier à ressorts, emmitouflés de manteaux, jusqu'à ce qu'il commence à faire si froid à l'intérieur que l'eau pleine de balles d'avoine se couvrit dans son seau d'une couche de glace d'un pouce d'épaisseur. Il ne restait plus qu'à se réfugier à l'étable, mais il n'y faisait guère plus chaud, tant le pasteur Roivas avait efficacement aéré dans la journée. Le fils alla chercher derrière la remise les balles d'avoine qui y avaient été déversées, la mère les étala dans l'un des box, de part et d'autre d'une vache, et ils se couchèrent tous deux contre ses flancs ; l'animal faisait comme un gros mur chaud et vivant, rassurant dans la sombre nuit d'hiver.

« Et ne réveille pas Mielikki, surtout. »

Au matin, Pyörähtälä passa conclure la vente de bois avec la veuve et apporta en même temps de nouveaux matelas. On pouvait à nouveau faire du feu dans le fourneau et la vie reprit ainsi son cours à la ferme, d'autant plus sereinement que l'exploitation de la pinède avait rapporté un bon paquet d'argent. Le jour même, Mme Reivilä et son fils allèrent faire des courses au bourg, où on ne les avait pas vus depuis l'automne précédent, quand la veuve était venue vendre des airelles à la coopérative.

16

Jaatinen pédala du bourg à l'aérodrome, planta sa bicyclette dans la neige et resta un moment à regarder la grosse excavatrice creuser un trou dans la terre gelée. Un entrepôt se dresserait bientôt là. On avait beau être au cœur de l'hiver, la pelle mécanique n'avait pas grand mal à pénétrer dans le sol durci, car le terrain se trouvait être une lande sablonneuse, une sorte de varenne.

Jaatinen regardait distraitement le sable uniforme couler avec fluidité du godet comme d'un sablier.

Soudain, il eut une illumination : c'était un matériau de premier choix !

Jaatinen cria au conducteur de creuser plus profond. La pelle plongea dans les entrailles du champ d'aviation, il y avait des masses de sable, en une couche homogène qui semblait ne pas avoir de fin. Le conducteur de l'engin se demandait pourquoi il fallait tout d'un coup faire un aussi gros trou, il n'en fallait pas tant pour les fondations d'un hangar.

« Je veux juste voir jusqu'où va ce sable », expliqua Jaatinen.

Une heure plus tard, l'excavation faisait déjà six bons mètres de profondeur. Le gisement de sable continuait, égal à lui-même. Jaatinen était enchanté. Il fit déplacer la pelle à l'autre extrémité du terrain d'aviation. On y creusa un trou de la même profondeur.

Toujours le même sable !

Un trésor ! Des millions, des milliards de mètres cubes du meilleur matériau possible. L'imagination de l'ingénieur, qui n'était pourtant pas particulièrement débordante, s'enflamma de visions extraordinaires : une grande centrale à béton, une véritable usine, émergeait du champ d'aviation. On y produisait des éléments de construction préfabriqués, des anneaux de cuvelage, des tuyaux de drainage, des millions de parpaings rangés en milliers de piles.

Jaatinen remplit la poche de sa canadienne d'une grosse poignée de sable, sauta sur la selle de sa bicyclette et pédala si vite jusqu'au village que sa roue arrière chassait la neige de la route. Il entra en coup de vent dans son bureau, où Pyörähtälä pianotait sur la calculatrice.

« On va transformer ce sable en or. On va acheter du matériel dès que la commune nous aura réglé le solde des travaux, et tu vas aller dès cette semaine à Helsinki proposer du sable en vrac. Emporte des échantillons, ce ne sont pas les acheteurs qui manqueront.

– Quel foutu sable ?

– Tout le terrain d'aviation n'est qu'un gros pâté de sable. Il y en a au moins cinq mètres d'épaisseur, sans doute beaucoup plus. Si homogène que c'en est incroyable, et de la meilleure taille de grains possible, regarde ! »

Jaatinen fourra la main dans la poche de sa canadienne, en sortit une grosse poignée de sable, la laissa couler entre ses doigts sur les papiers de Pyörähtälä. Ce dernier regarda le ruissellement d'un air réprobateur.

« Du sable tout à fait ordinaire, oui. Ne salope pas ces papiers, putain, je vais devoir tout recopier au propre.

– Il y en a pour une fortune, c'est une découverte incroyable ! Comment se fait-il qu'il n'y ait jamais eu le moindre géologue pour fouiller le sol de ce misérable canton, ni le moindre sablonnier intéressé. J'ai un aérodrome entier de ce matériau, sers-moi un cognac ! »

Si Pyörähtälä peinait à comprendre l'enthousiasme de Jaatinen pour ce fichu sable, il n'en allait pas de même pour le cognac, malgré sa récente adhésion à la ligue antialcoolique. Deux verres à liqueur surgirent comme par magie de la cuisine, et une bouteille du tiroir du bas du bureau.

« C'est bien la première fois que je bois du cognac parce que quelqu'un trouve une poignée de sable. Mais pourquoi pas, hein !

– L'or vaut quelque chose comme quatre mille marks le kilo, mais un million de tonnes de sable en valent plus de mille kilos. Il y a une énorme différence. Le bon sable industriel est plus précieux que l'or, dans le sud de la Finlande. Nous allons construire à Kuusmäki, dès l'été prochain, une grande usine à béton. Ça tombe bien, l'entreprise a déjà un nom, on va pouvoir fabriquer toutes sortes de produits, des baignoires ou des planches à laver, par exemple, ou ce qu'on veut. »

Une fois calmé, Jaatinen expliqua à Pyörähtälä l'incroyable eldorado que représentait l'aérodrome. Il se trouvait à distance idéale du bourg... le grand terrain plat, sans arbres, constituait une assise parfaite pour des bâtiments, sans compter qu'on avait la matière première sous le nez.

Il n'y avait plus qu'à faire partager la grande nouvelle à Manssila.

C'est ainsi que les trois amis firent joyeusement la fête, échafaudant des projets, fumant des cigares et se tapant sur l'épaule.

À un moment, Manssila, le plus sérieux et le plus raisonnable du lot, lança à Jaatinen :

« Tu as une sacrée veine, camarade, surtout avec les nouveaux frais qui t'attendent dans deux mois. »

Jaatinen lui demanda en riant de quoi il voulait parler.

« Eh bien de la pension alimentaire que tu vas devoir payer.

– Quelle pension alimentaire ?

– Ne me dis pas que tu n'as pas vu Mme Rummukainen. Leea en est à son septième mois, et c'est bien en août que tu pêchais le sandre au lac de la Tuerie, non ? »

Pyörähtälä confirma l'hypothèse :

« Tout le monde au village a l'air de savoir que le carotteur de millions aura un bâtard ce printemps. Toi, donc. »

Jaatinen rougit. Leea serait donc enceinte de lui ? L'idée ne lui était même pas venue à l'esprit. Il compta sur ses doigts et, effectivement, cela faisait sept mois depuis août. L'ingénieur se souvint de la veille de Noël et de sa rencontre devant la coopérative. Était-ce donc ça ? Sa mine se fit grave. Il n'y avait d'ailleurs plus de cognac, Pyörähtälä et Manssila prirent congé. Jaatinen remarqua à peine leur départ. Il réfléchissait à ce nouvel état de choses ; la paternité, ou la conscience de sa possibilité, lui taraudait l'esprit. L'enfant serait-il seulement viable ? L'ingénieur tenta de se rappeler à quoi ressemblaient les hanches de Leea. La femme du proviseur était-elle apte à accoucher sans césarienne ni forceps ? Il réussit à se remémorer son bassin, pas de problème de ce côté, il semblait suffisamment large, si ses souvenirs étaient exacts.

Mais était-elle aussi pour le reste en bonne santé ? Sa formule sanguine était-elle normale ? Avait-elle des maladies héréditaires ? Des pieds plats ? Le proviseur Rummukainen était-il au courant de la situation ?

Jaatinen veilla ce soir-là jusque tard dans la nuit. Ce n'était pas la découverte du mirifique gisement de sable qui l'empêchait de dormir, mais cette surprenante rumeur de paternité. Finalement, couché dans son lit dans l'obscurité de sa chambre, l'ingénieur conclut :

« C'était donc ça, ces cigares de Noël. Une allusion. L'allusion des allusions ! »

17

Par un jour ensoleillé de mars, un petit cortège s'avança au pas cadencé dans la rue principale de Kuusmäki. Il s'agissait de se recueillir devant le monument aux héros de la contre-révolution. L'association des officiers de réserve de Kuusmäki commémorait en effet chaque année, à la date anniversaire de cette lointaine bataille, le souvenir des soldats blancs tombés au pont de la Tuerie.

Le lieutenant des blindés Jaatinen défilait avec les autres. Il avait été admis dans l'association et, maintenant qu'il en faisait partie, pas question d'échapper à la cérémonie. Le commissaire Kavonkulma et le chef des pompiers Jokikokko ouvraient la marche, suivis par le commandant Rummukainen. Ce dernier portait une grande couronne de branches de sapin.

Arrivés au monument, les fiers réservistes se disposèrent en cercle et attendirent l'arrivée de la chorale de l'église. Elle les rejoignit d'ailleurs bientôt, avec dans ses rangs le chef de bureau Pyörähtälä.

Les chanteurs entonnèrent *C'est un rempart que notre Dieu.* Puis le pasteur Roivas prononça quelques paroles solennelles, Rummukainen, Jokikokko et Kavonkulma déposèrent la couronne devant le monument. Le farouche soldat de bronze avait les yeux crânement tournés vers le pont de la Tuerie, il ne jeta pas un regard aux branchages placés à ses pieds.

Jaatinen et Pyörähtälä se retrouvèrent après la cérémonie. L'hommage aux héros blancs de la guerre civile les avait profondément troublés : ils venaient de manifester leur respect aux adversaires de la classe ouvrière. Pyörähtälä déclara :

« On est de belles ordures.

– À qui le dis-tu.

– Il serait quand même temps d'ériger aussi un monument aux rouges, ils ont eu cinq fois plus de morts à la Tuerie. Manssila en a souvent parlé.

– Et si on coulait ici, dans le bourg, une sculpture en béton à la mémoire de ce chef de peloton, Vornanen, c'est bien comme ça qu'il s'appelait ? suggéra Jaatinen.

– Pourquoi précisément en béton ? » s'enquit Pyörähtälä.

L'ingénieur expliqua qu'il se demandait depuis déjà un moment quel genre de pièce il pourrait réaliser, en plein hiver, pour tester le sable du terrain d'aviation. Il avait procédé à son analyse chimique, qui était positive, mais son ouvrabilité devait encore être évaluée par essai : il fallait couler par temps froid un ouvrage exigeant, travée de pont ou autre, afin de mettre la résistance du matériau à l'épreuve. Une sculpture pourrait faire l'affaire.

Quand Manssila fut mis au courant du projet, il s'enthousiasma aussitôt. Il s'avéra que l'union syndicale locale de Kuusmäki avait nommé depuis déjà près de cinq ans un comité chargé de veiller à l'érection d'un monument au chef de peloton Vornanen. Manssila encouragea Jaatinen à agir sans tarder :

« Si tu dois réaliser pour tes calculs de résistance un ouvrage en béton coulé dans des conditions hivernales, fais ce monument aux rouges. Je vais tout de suite demander un dessin à un artiste de la capitale. »

Manssila passa commande à un sculpteur.

On vit arriver par l'autocar de Helsinki un petit moustachu fripé qui se présenta à Manssila et Jaatinen, venus l'attendre à la gare routière : Kasurinen, sculpteur. L'homme sentait l'alcool frelaté, ce qui leur sembla prometteur. Kasurinen était de toute évidence un véritable artiste.

Tant mieux.

On le conduisit au *Motel de la grand-route.* Manssila lui donna des instructions :

« Fais-nous quelque chose de vraiment impressionnant. Inutile de faire une statue classique, c'est impossible à couler par temps froid. À part ça, tu peux utiliser tout le béton que tu veux. »

Avec l'inextinguible enthousiasme d'un génie créatif, Kasurinen se lança dans son exigeant travail : il commença par commander un copieux déjeuner arrosé d'une bonne quantité de bière. Le soir, on put le voir au bar du motel, plongé dans ses croquis et ses verres de vodka ; le comité pour l'érection du monument vint regarder par-dessus son épaule comment la besogne avançait.

Pendant une semaine, le sculpteur Kasurinen, dont la silhouette décatie cachait un fougueux et talentueux tempérament d'artiste, s'appliqua à dessiner un monument à la mémoire du chef de peloton Vornanen et, le dimanche suivant, il remit le résultat de ses efforts à Manssila.

L'œuvre de Kasurinen représentait un robuste bras masculin surgissant des profondeurs de la terre, terminé par un poing serré dressé vers le ciel. Rien que sur le papier, l'effet était saisissant.

Jaatinen entreprit d'évaluer la quantité de béton et d'effectuer les calculs de résistance nécessaires. Quel projet grandiose ! La sculpture imaginée par Kasurinen était spectaculaire, et parfaite pour un essai de bétonnage dans des conditions extrêmes. Il fallut deux ou trois jours à l'ingénieur pour établir avec l'artiste les plans définitifs du monument à Vornanen. Puis on paya ses honoraires à Kasurinen, qui quitta Kuusmäki. On entreprit immédiatement de creuser sur le terrain de la Maison des syndicats, en plein milieu du bourg, une profonde excavation dont on dama le fond avant d'y poser des banches dans lesquelles on coula les fondations de l'ouvrage. On put ensuite passer au coffrage et au ferraillage de la sculpture elle-même.

Huit jours plus tard, un édifice de six bons mètres de haut, fumant de vapeur, se dressait sous une bâche dans le centre de Kuusmäki. Les villageois s'interrogeaient, personne ne voulait croire que Jaatinen soit en train d'ériger un monument au chef de peloton Vornanen. Au bout d'encore une semaine, pourtant, un dimanche, une foule de Kuusmäkiens modestes, ouvriers et petits fermiers, se réunit autour de la construction. Comme ils étaient nombreux ! Plusieurs centaines, bien plus que les véritables nantis.

Portant des drapeaux rouges, l'union syndicale locale arriva en cortège. La fanfare joua des chants révolutionnaires, dans l'œil de plusieurs vieillards brillait de toute évidence une larme. L'heure avait enfin sonné où l'on osait, même à Kuusmäki, se rassembler sans trembler pour un hommage au prolétariat.

Manssila, au volant de la pelleteuse, s'approcha du monument, dressa le bras hydraulique dans les airs, glissa l'une des dents du godet sous la corde fixée au coin de la bâche, souleva cette dernière, secoua et lâcha. La toile s'écarta de la sculpture, tomba lourdement sur le sol en soulevant un nuage de neige qui masqua un instant le monument dévoilé. Quand le tourbillon de flocons se fut dissipé, on vit enfin l'œuvre de Kasurinen.

Quelle splendeur ! Quelle force !

C'était un bras solide qui se dressait là sur son socle, le poing brandi vers le ciel. Une plaque de cuivre, sur le côté, portait l'inscription : « À la mémoire de nos camarades morts en 1918 à la bataille de Kuusmäki et dans les camps de prisonniers. L'union syndicale locale de Kuusmäki. »

Le pasteur Roivas et l'exploitant agricole Jäminki observaient les événements par la fenêtre du presbytère.

« Je ne crois pas que l'érection de ce monument soit un acte agréable à Dieu, dit l'un.

– Il n'y a pas pire emmerdeur que ce satané Jaatinen », renchérit l'autre.

18

Une semaine à peine après l'inauguration du monument à Vornanen, Jaatinen entreprit d'implanter au plus vite sur le terrain d'aviation une fabrique de produits en béton. Le sable utilisé pour couler la sculpture avait prouvé ses qualités : il était solide, il donnait un béton robuste. Lors des essais que l'ingénieur fit subir à l'ouvrage à l'aide d'un bulldozer et de cabestans, il supporta des pressions incroyablement élevées par rapport à sa masse et démontra une résistance exceptionnelle à la rupture par traction.

Jaatinen dessina lui-même les bâtiments de l'usine et fit la liste des équipements nécessaires. Il fit appel à deux ou trois cabinets de conseil de Helsinki qui réalisèrent au plus vite des études de marché, ainsi qu'une évaluation des coûts. L'ingénieur dut aussi se rendre en Suède et à Leningrad afin de négocier l'achat de machines. Mais quoi de plus agréable qu'un petit voyage à l'approche du printemps !

En Union soviétique, Jaatinen décida d'acquérir des bétonnières de grande capacité ainsi que des grues, en

Suède il opta pour un modèle moderne de pompe à béton. Il réussit à se procurer en Finlande des convoyeurs d'occasion cédés à prix d'ami.

Le réseau de distribution et d'évacuation des eaux de Kuusmäki fut achevé au début d'avril. La municipalité régla le montant correspondant à Jaatinen, la position de trésorerie de Bétons et Boues du Nord S.A. n'avait jamais été aussi bonne. La réalisation de la station d'épuration était toutefois encore en cours, mieux valait attendre qu'elle soit achevée pour lancer la construction proprement dite de la nouvelle usine.

Un jour, Jaatinen dit au chef de bureau Pyörähtälä :

« Écoute. Avec les nouvelles activités de l'entreprise, tu ne vas plus pouvoir t'en sortir seul. Nous devons embaucher au moins un diplômé d'une école de commerce et peut-être aussi à l'automne un ou deux techniciens commerciaux.

– Tu as raison. Veux-tu que j'aille à Helsinki recruter un professionnel ? Il paraît qu'on en trouve facilement.

– Oui, vas-y. Trouve-nous un spécialiste en marketing, c'est ce dont nous avons le plus besoin. Et ce serait bien qu'il s'y connaisse aussi en gestion de trésorerie. Occupe-toi d'embaucher quelqu'un, mais ne reste pas à traîner à Helsinki pour ton compte, je te donne une semaine. »

Ainsi Pyörähtälä partit-il avec joie recruter un mercaticien. Un peu inquiet, Jaatinen accompagna son chef de bureau à l'autocar.

« Tâche de ne pas faire de bêtises… et ne nous ramène pas n'importe quel poulpiquet.

– Ne t'inquiète pas, je suis l'homme de la situation ! »

Pyörähtälä resta absent plus longtemps qu'il n'aurait dû, dix jours. Et quand il revint à Kuusmäki, il était accompagné d'une femme. Jaatinen engueula son chef de bureau, d'autant plus qu'il avait l'air épuisé et mal remis d'un excès de boisson. Et qui était cette femme ? Il s'avéra que la personne en question – petite, les lèvres pincées, mais plutôt jolie – était mercaticienne. Le butin semblait pourtant bien maigre. Jaatinen prit Pyörähtälä entre quatre yeux.

« C'est pour nous trouver ça qu'il t'a fallu une semaine et demie ? On ne croirait pas que ce soit si difficile. Il n'y avait rien d'autre sur le marché ?

– Si, si, mais c'était la meilleure. Ne crie pas, c'est sûr que j'ai un peu bu, mais c'est une vraie spécialiste. Elle n'a que trente-cinq ans, et pourtant une grande expérience. J'ai dû lui promettre un poste de chef du marketing pour qu'elle accepte de venir. Elle s'appelle Hellevi.

– Hellevi quoi ?

– Hellevi Säviä. Crois-moi, c'est ce qu'il nous faut. Demande-le-lui, si tu veux. Elle ne voulait pas venir, j'ai dû la convaincre, c'est ce qui m'a pris du temps. En plus elle est polyglotte, elle parle couramment suédois, anglais, allemand et français. Elle se débrouille particulièrement bien en suédois, à Stockholm, on l'a prise pour une autochtone.

– Parce que tu as dû aller jusqu'à Stockholm pour la convaincre ?

– En fait c'était un peu par accident… mais ç'a été un voyage agréable, en fin de compte. Et d'ailleurs, en tant que chef de bureau, j'ai quand même le droit de prendre des décisions, non ? »

Jaatinen convoqua la mercaticienne Säviä pour un entretien. D'abord un peu sceptique sur la capacité de cette petite femme frêle de vendre de lourds éléments en béton à de rudes entrepreneurs en bâtiment, l'ingénieur demanda :

« J'espère que Pyörähtälä ne vous a pas peint un tableau trop rose de la situation ?

– Je connais parfaitement le secteur. J'en ai une assez longue expérience. Si vous craignez que je ne réussisse pas à vendre les produits de votre usine, rassurez-vous : j'ai déjà des contrats en vue pour écouler les éléments qui seront fabriqués d'ici l'automne. Et si tout se passe bien jusque-là, je peux obtenir des commandes jusqu'à l'année suivante.

– Ah ! Bien. Alors l'affaire est conclue. Je m'appelle Akseli.

– Hellevi.

– Commence par organiser la gestion de la trésorerie. D'ici la fin juin, nous allons prendre en charge la comptabilité qui était assurée par le cabinet de mon avocat à Helsinki. Bienvenue dans l'entreprise. Pyörähtälä t'aidera à trouver un logement. »

Enfin la station d'épuration fut achevée. On la mit en service sans cérémonie – le maire ne se déplaça même pas pour l'inspection finale.

La commune de Kuusmäki eut quelques difficultés à payer à Bétons et Boues du Nord S.A. le montant de la dernière tranche de travaux, ses caisses étaient vides. La municipalité dut prendre un prêt pour régler la facture, indexation comprise. À en croire la rumeur, Jäminki dit en paraphant la demande de crédit en sa qualité de maire :

« Je n'aurais jamais cru que ce carotteur de millions m'obligerait un jour à signer une reconnaissance de dette. »

Après avoir encaissé l'argent, Jaatinen partit chercher à Leningrad du matériel pour son usine. Il s'y rendit en train et descendit à l'hôtel *Astor.* Son séjour dans la Venise du Nord dura près de deux semaines, car les machines n'étaient pas encore tout à fait prêtes à être expédiées. Mais l'hôtel était suffisamment luxueux pour que ce retard ne fasse que du bien à Jaatinen : il visita la ville, huma les parfums printaniers de la Neva et, en bon ingénieur, examina attentivement la structure des ponts mobiles qui l'enjambaient. Quelles merveilles ! Si seulement il avait encore pu un jour en construire de semblables en Finlande, songea-t-il avec mélancolie.

Le personnel de l'*Astor* s'habitua si bien à Jaatinen qu'il finit par se sentir un peu chez lui. Un jour, le maître d'hôtel, un homme au demeurant sympathique et intéressant, lui parla d'un Finlandais qui avait séjourné dans l'établissement l'année précédente.

« Vous n'imaginez pas, Jaatinen, quel client agréable c'était ! Il avait un nom un peu comme le vôtre, Vatanen, je crois. Vraiment quelqu'un de bien ! Il voyageait en compagnie d'un authentique lièvre finlandais. Nous étions tous aux petits soins pour cet animal si amusant et si discret, et parfaitement apprivoisé. Quand ce Vatanen a dû repartir en Finlande avec son lièvre, nous en avons presque pleuré ! »

Enfin les grosses machines furent chargées dans le train à l'usine. Jaatinen suivit les opérations. Il était content de la qualité du matériel : les engins étaient puissants, le sol s'ouvrirait sans mal sur leur passage. Ils coûtaient aussi presque moitié moins cher que leurs équivalents anglais ou suédois.

La veille du 1er Mai, les nouvelles machines arrivées par le train furent transportées en semi-remorque jusqu'au terrain d'aviation. Ce soir-là, l'équipe de Bétons et Boues du Nord fêta la Sainte-Walpurgis au *Motel de la grand-route,* on trinqua, Jaatinen raconta son voyage à Leningrad. Le lendemain, pour la fête du Travail, les ouvriers défilèrent drapeaux rouges en tête jusqu'au monument à Vornanen. Manssila tint un discours, les étendards flottaient au vent, le canton entier résonnait des échos de *L'Internationale.*

« C'en est trop », dit Jäminki du fond de sa ferme.

19

Dans l'après-midi du 1er Mai, on apprit que Mme Rummukainen avait donné naissance à deux enfants – des filles jumelles – à la maison de santé de Kuusmäki.

La nouvelle parvint à Jaatinen au *Motel de la grand-route.* Allons bon, déjà ? S'était-il vraiment écoulé neuf mois depuis août ? L'ingénieur se faufila discrètement dans la cabine téléphonique du hall. Il appela la maternité.

« Comment vont Mme Rummukainen et les enfants ?

– Qui êtes-vous ? demanda la sage-femme de permanence.

– Le père… enfin le parrain, je veux dire. Elles sont en bonne santé ? »

La sage-femme lui apprit que tout s'était bien passé. La mère et les jumelles se portaient bien, de beaux bébés toutes les deux. Elles pesaient trois kilos cent et trois kilos trois cents. L'accouchement avait duré deux heures, il avait commencé la veille à vingt-deux heures, tout était terminé à minuit. La sage-femme demanda encore de la part de qui elle devait transmettre des salutations, mais Jaatinen ne se trahit pas, se contentant d'annoncer qu'il passerait plus tard en personne. Il voulut aussi savoir si le père était déjà venu voir ses enfants. La sage-femme répondit que le proviseur Rummukainen leur avait rendu visite dans la journée et était encore attendu dans la soirée.

Jaatinen ne pouvait donc pas aller à la maternité aux heures de visite. Il retourna dans la salle de restaurant, commanda un bon cognac. Il était malgré tout sacrément soulagé. Deux filles, et en bonne santé ! Parfait. Leea avait bien fait son travail, félicitations ! Mais les bébés étaient-ils de lui, tout compte fait ? Seule Leea savait la vérité.

Quoi qu'il en soit, l'essentiel était que les enfants se portent bien. Le vieux cognac et la joie de sa probable paternité aidant, Jaatinen s'enfonça dans une douce ivresse. Vers huit heures du soir, il quitta le motel et se dirigea vers la maison de santé mais, au lieu d'aller du côté de la maternité, il frappa à la porte du médecin de garde. Ce dernier, le docteur Pajunen, lui demanda ce qu'il voulait.

« Écoute, Pajunen. Est-ce que tu pourrais me montrer les petites Rummukainen ? articula Jaatinen d'une voix pâteuse.

– Qu'est-ce que tu leur veux ? J'ai entendu dire que Rummukainen et toi étiez fâchés.

– C'est bien pour ça que je te demande ton aide. S'il te plaît, va chercher ces enfants, un à la fois si tu veux. Je voudrais les voir. Je n'ose pas aller en personne à la maternité. »

Pajunen déclara sans s'émouvoir que les bébés étaient encore en salle de soins, il ne pouvait pas aller les prendre comme ça. Il voyait bien que Jaatinen était complètement soûl, et n'avait pas l'intention d'accéder à sa demande. Quel type bizarre, vraiment, songea le médecin.

L'ingénieur quitta la maison de santé dépité. Comment était-ce possible. Interdire à un père de voir ses filles ! Il avait envie de faire valoir ses droits sur le produit de ses œuvres, mais le bon sens lui disait qu'il était plus sage de s'abstenir.

Jaatinen alla récupérer sa bicyclette au motel et zigzagua jusque chez lui par la rue principale. Dans la cour du crédit mutuel, il s'étala par terre avec son engin, par la faute du cognac.

Il se releva avec difficulté et, avec plus de difficulté encore, grimpa l'escalier escarpé. Une fois dans sa chambre, il s'endormit assis à la table, la tête sur les bras. Dans la nuit, la respiration lourde, il rêva de ses bébés, de ses mignonnes petites filles ; dans son sommeil, il tint tout haut de tendres discours, s'adressant en particulier à Leea Rummukainen, mais également à la secrétaire de mairie Koponen, dont il répéta plusieurs fois le nom : « Irene chérie, nous aurons nous aussi des enfants, donne-moi toi aussi des jumeaux… »

20

L'édification de la nouvelle usine avait pris un bon départ. Jaatinen débordait d'énergie, il travaillait presque vingt-quatre heures sur vingt-quatre, voyageait, surveillait les travaux, faisait des projets. Des camions grondaient à nouveau sur la route du terrain d'aviation, les ouvriers du chantier de construction du réseau d'eau étaient maintenant tous employés là. Les marteaux des charpentiers sonnaient clair, l'acier crénelé pliait entre les mains des ferrailleurs et le béton frais, fabriqué avec le sable trouvé sur place, coulait dans les fondations.

Un soir de mai, Jaatinen revint comme d'habitude à bicyclette du chantier de l'usine à son appartement au-dessus du crédit mutuel. Il était déjà près de dix heures, l'air sentait le printemps, l'ingénieur avait l'esprit serein, les travaux avançaient bien, on voyait jour après jour l'usine sortir du sable.

En montant chez lui, Jaatinen s'arrêta brusquement dans l'escalier pour écouter. Au premier, du côté des locaux de l'entreprise et de son appartement, on entendait pleurer un enfant, ou même deux. Son cœur fit un bond. Des bébés ! Il se précipita, arriva en haut en quelques enjambées et se rua dans le bureau. Il était vide, les cris d'enfant venaient de plus loin, de sa chambre.

En entrant, Jaatinen se figea décontenancé sur le seuil. Pyörähtälä tenait dans ses bras un nourrisson braillant, Mme Leea Rummukainen était assise sur le bord du lit avec sur les genoux un second poupon, qui criait lui aussi. L'ingénieur s'avança et vit que la mère pleurait autant que ses enfants, quoique moins bruyamment. Pyörähtälä expliqua :

« Mme Rummukainen a couru ici il y a une heure, terrifiée, son mari menaçait de tuer toute la famille... elle est venue se réfugier chez toi, je l'ai bien sûr laissée entrer. »

Pyörähtälä tendit à l'ingénieur un bébé en larmes, en prenant soin de lui soutenir la nuque.

« Tiens, Jaatinen, ta fille. »

L'ingénieur prit le nourrisson dans ses grandes mains, le fixa d'un air épouvanté, puis Leea se leva pour lui donner l'autre enfant. Ne sachant que faire de celui qu'il tenait, il le rendit à Pyörähtälä, prit dans ses bras celui qu'on lui offrait, le regarda avec des yeux écarquillés. Tremblant de saisissement, il posa le bébé sur le lit, reprit l'autre à Pyörähtälä et le coucha à côté du premier. Puis il tenta de fourrer une sucette en caoutchouc dans chacune des petites bouches roses, on aurait dit un gros ours pataud maternant ses oursons encore aveugles.

Pyörähtälä se sauva, referma la porte derrière lui.

Leea Rummukainen calma les enfants. Ils geignaient encore un peu mais se turent pour sucer leur tétine, creusant leurs petites joues.

Jaatinen se redressa et regarda longuement leur mère.

« Ce sont toutes les deux des filles, alors ? demanda-t-il timidement.

– Oui.

– Et elles sont de moi ?

– Oui.

– Ah. »

Jaatinen alla de nouveau regarder les bébés.

« Elles sont malades, pour être aussi incroyablement petites ?

– Elles sont en parfaite santé, et plutôt grandes pour des jumelles », dit Leea un peu agacée.

L'ingénieur appuya du bout du pouce sur le nez de chacun des bébés, qui couinèrent un peu. Leea le tira en arrière.

« Ne les embête pas, et regarde tes mains, elles sont couvertes de cambouis et de béton. Va tout de suite les laver. »

Jaatinen obéit. Quand il revint, le téléphone sonna. C'était Rummukainen.

L'ingénieur écouta longuement, dit pour finir :

« Je ne te conseille pas de te montrer ici. »

Après avoir raccroché, il alla à l'armoire et en sortit un pistolet automatique, un lourd Tokarev russe qu'il chargea. Leea le regarda affolée.

« Tu ne vas pas faire un malheur ! Tu nous tuerais, moi et les enfants ? »

Elle se mit de nouveau à pleurer, mais cessa en s'apercevant qu'elle n'était pas menacée. Jaatinen fourra l'arme dans sa poche, calma Leea et descendit dans la cour. La voiture de Rummukainen vint bientôt s'y arrêter. L'ingénieur sortit de l'ombre du bâtiment, tira son automatique de sa poche et le pointa sur le proviseur. Ce dernier replongea dans sa voiture, prit son arme dans la boîte à gants, se mit à la tripoter dans l'obscurité. Jaatinen se jeta sur lui, l'obligea à lâcher son pistolet, le saisit au collet.

« Rentre tout de suite chez toi et ne remets plus les pieds ici. Leea et les bébés sont sous ma protection, on réglera cette affaire autrement que par les armes. »

Rummukainen se rassit dans sa voiture, puis demanda d'une voix tremblante d'amertume :

« Ces enfants sont de toi, alors ?

– C'est ce que dit Leea. Tu as menacé de la tuer, c'est pour ça qu'elle est venue se réfugier chez moi. Que je ne te vois plus jamais pointer un pistolet sur des bébés. »

Rummukainen claqua la portière et fila sans demander son reste. Jaatinen remonta dans l'appartement où Leea l'attendait avec inquiétude. Elle lui demanda de quoi ils avaient parlé.

« De pas grand-chose, à vrai dire. »

Jaatinen téléphona au gérant de la coopérative, s'excusa pour l'heure tardive. Puis il dicta sa commande :

« Deux lits à barreaux, taille nourrisson, un landau à deux places… des petits pots pour bébés, des couches et d'autres choses de ce genre, attends, ne quitte pas, je te passe la mère. »

Leea donna encore quelques instructions au commerçant. Une heure plus tard, il vint se garer dans la cour et l'on déchargea la voiture dans l'obscurité. Jaatinen porta sur son dos les lits, les paquets de couches... de petits matelas tombèrent de la pile.

« Tu as pensé aux sucettes ? demanda l'ingénieur au gérant.

– Oui, oui, il y a tout ce qu'il faut. »

Ce soir-là, Jaatinen eut du mal à trouver le sommeil. Leea leur avait préparé un lit commun sur le canapé, les draps crissaient tandis qu'il se tournait et se retournait. Il écoutait la respiration des bébés couchés juste à côté et se releva deux ou trois fois effrayé, persuadé qu'ils s'étaient étouffés, parce qu'il n'entendait plus ronfloter les deux petits nez. Mais les enfants dormaient paisiblement et enfin l'ingénieur en fit autant, après avoir regardé la femme à l'opulente poitrine qui reposait à ses côtés dans la pénombre de la chambre, ses longs cheveux blonds étalés sur plus de la moitié du lit. Jaatinen laissa échapper un soupir indécis, venu des profondeurs de ses puissants poumons, chargé de préoccupations, de responsabilités que de grandes mains et de larges omoplates ne suffisaient pas à porter.

Réveillé à quatre heures du matin, il se leva, s'habilla, alla faire sa toilette, puis s'installa au pied du lit des bébés. Il resta là une bonne paire d'heures, accroupi par terre à les regarder dormir avec leur frimousse et leurs petits yeux tout froncés. Il ne put s'empêcher de leur pincer à tous les deux le bout du nez, mais si doucement qu'ils ne protestèrent pas.

21

Quelques jours plus tard, le proviseur Rummukainen téléphona de nouveau. Cette fois, au lieu de menacer Jaatinen, il proposa une rencontre et des négociations.

« Je te promets de venir sans arme. Essaie de comprendre à quel point cette situation est difficile pour moi.

– Je n'en doute pas, mais je ne vois pas ce que je pourrais y faire. Enfin peu importe, nous pouvons discuter, après tout nous sommes membres de la même société de chasse. Viens ce soir à la maison. Mais laisse ton pistolet chez toi. »

Le soir venu, Rummukainen se rendit chez Jaatinen. Il frappa poliment à la porte séparant le bureau du logement. L'ingénieur vint ouvrir, tâta les poches du proviseur pour vérifier qu'il n'était pas armé.

« Bonjour Leea chérie, dit Rummukainen.

– Bonjour, Kauko.

– Rentre à la maison, mon cœur.

– Non… tu es trop imprévisible… et puis ces enfants ne sont pas de toi, ils sont de Jaatinen. Comment pourrais-je encore revenir ?

– Nous possédons quand même une maison, tous les deux… et ça m'est égal que ces enfants ne soient pas de moi, je te pardonne. »

Jaatinen se mêla à la conversation :

« Les bébés n'iront nulle part. Mais ce qu'on pourrait faire, Leea, c'est que tu rentres chez toi. Tu viendrais tous les jours ici nourrir les enfants, j'embaucherais une bonne, ou pourquoi pas une nourrice, aussi. »

Leea, furieuse, se retira dans la chambre à coucher avec ses filles. Les hommes restèrent en tête à tête. Rummukainen offrit à Jaatinen un cigarillo de bonne qualité. L'ingénieur leur versa à tous deux une goutte de cognac.

Le proviseur entama les négociations.

« Tu n'as peut-être pas réfléchi à ce que ça représentait pour moi… je vais t'expliquer. Il y a d'abord, vois-tu, cet épouvantable scandale. Je ne suis pas n'importe qui, hélas, je suis le proviseur du lycée mixte. Si on ne règle pas rapidement cette affaire de manière satisfaisante, je vais devoir vendre la maison et quitter Kuusmäki, et il se pourrait même que cette histoire se sache ailleurs. Le conseil d'administration du lycée me mettra à la porte de l'établissement à la fin de l'année scolaire au plus tard si je ne pars pas de moi-même, j'ai été prévenu. On m'a donné une semaine pour récupérer femme et enfants. Le conseil doit se réunir dans huit jours pour statuer sur mon sort. »

Jaatinen admit que la situation était délicate, mais fit remarquer que les Kuusmäkiens, Rummukainen en tête, ne s'étaient guère souciés des conséquences quand il s'était agi de lui.

« Il y a aussi le fait que j'aime ma femme, poursuivit le proviseur, et je pense qu'elle m'aime aussi. Ce n'est qu'une aventure passagère, avec toi, d'ailleurs les enfants sont peut-être de moi, tout compte fait... on ne peut pas croire Leea sur parole. »

Rummukainen prit une gorgée de cognac, l'avala de travers, toussa si fort que son cigare tomba par terre.

Cramoisi, il plaida encore sa cause :

« Nous avons aussi une maison, Leea et moi l'avons construite ensemble, avec l'argent de son héritage... tu sais sûrement ce que ça coûte de nos jours. Je te le dis d'homme à homme, en ce qui me concerne, tu peux garder les enfants, ou en tout cas un des deux, à condition que tu me rendes ma femme. Je suis certain que Leea n'osera pas rester habiter ici si tu la renvoies. Je te dédommagerai royalement, si tu acceptes cet arrangement. »

Avant que Jaatinen ait seulement pu songer à se pencher sur la proposition de Rummukainen, Leea surgit sur le seuil, folle de rage ; elle avait sans doute écouté la conversation des deux hommes.

« C'est comme ça que vous me marchandez, vous devriez avoir honte, espèces de porcs ! Ne me renvoie pas, Jaatinen, c'est humiliant, pense à moi et à nos enfants ! Je te promets que je serai une bonne compagne. Prends-moi pour épouse, Jaatinen chéri, au lieu de me vendre à ce monstre ! »

L'ingénieur se leva de sa chaise, termina son cognac et se mit à marcher de long en large dans la pièce. On voyait qu'il réfléchissait sérieusement à la situation, qui n'en exigeait d'ailleurs pas moins. Leea pleurait. Le proviseur faisait craquer les jointures de ses doigts. Puis Jaatinen prononça son jugement :

« Leea, je n'ai pas l'intention de t'épouser officiellement. Si tu veux retourner chez ton mari, tu es bien sûr libre de le faire, mais si tu veux rester, ça me va. Rummukainen, si Leea refuse de revenir vivre avec toi, je m'engage à racheter pour ton compte sa part de la maison, ça t'évitera de te retrouver sur la paille. Tu peux dire aux membres du conseil d'administration du lycée que leurs décisions ne m'intéressent pas, qu'ils te chassent s'ils le veulent du canton. C'est leur affaire, je n'ai pas à m'en mêler. »

Leea se mit de nouveau en colère. Elle sauta de sa chaise, gifla Jaatinen :

« Alors comme ça, je ne suis pas assez bonne pour toi, espèce de malotru ! Moi qui t'ai donné deux adorables bébés, je devrais te supplier de m'épouser ! Je ne m'abaisserai jamais à ça, c'est abominable.

– Tu vas retourner chez ton mari, alors ? demanda Jaatinen.

– Non, non, mille fois non !

– Et qu'est-ce que tu as l'intention de faire ? » s'enquit Rummukainen, plein d'espoir face à la tournure prise par les événements.

« Je vais rester ici et je vais t'obliger à m'épouser, Jaatinen. Et en ce qui te concerne, couille molle, je vais immédiatement demander le divorce ! »

Rummukainen se leva, arracha son pardessus au portemanteau, dit en partant à Jaatinen :

« La part de Leea représente quarante-six mille marks, donne-lui l'argent, et qu'elle m'envoie un reçu. Mais l'affaire n'est pas réglée pour autant, j'aurai ta peau avant l'été. Adieu, et gardez ces saletés de marmots, ils sont rouges comme des porcelets, en plus ! »

La porte claqua derrière le proviseur. Jaatinen rédigea un chèque de quarante-six mille marks qu'il donna à Leea, et un reçu qu'il lui fit signer. Puis il en fit d'un geste un avion en papier, ouvrit la fenêtre et cria à Rummukainen qui était déjà dans la cour :

« Ne pars pas si vite, ton reçu est prêt, attrape. » L'ingénieur lança l'avion qui plana dans les airs, fit quelques gracieux loopings et se posa aux pieds de Rummukainen. Ce dernier se baissa avec empressement, déplia le document, le lut à la lueur de son briquet, le rangea dans son portefeuille et quitta la cour en hâte. Son visage brillait autant de haine que d'une immense joie. Sa femme l'avait quitté, certes, mais pour un bon prix.

La semaine suivante, le conseil d'administration du lycée examina le cas de Rummukainen. Ce dernier ne parvint pas à démontrer que le scandale n'était pas irrémédiable et que la situation n'était pas totalement inadmissible du point de vue de l'établissement. Il présenta sa démission et le conseil l'accepta, l'autorisant même, dans sa grande magnanimité, à attendre la fin du trimestre pour quitter Kuusmäki. Les administrateurs lui promirent aussi, pour son départ, un dossier sans tache et d'élogieux certificats de travail. Jäminki, qui présidait le conseil d'administration du lycée, dit au proviseur :

« Cher ami, tu es déjà la troisième victime. Jaatinen a d'abord eu Kavonkulma, puis ce salaud a chassé Kainulainen, et maintenant c'est ton tour. Mais tu comprends bien que le conseil d'administration n'a pas le choix, dans cette affaire... cet homme est vraiment diabolique.

– Ce n'est pas un homme, c'est une bête féroce, et de la pire espèce », grogna Rummukainen.

Le proviseur fit paraître dans *La Gazette de Kuusmäki* une petite annonce de vente de sa maison. Jaatinen l'acheta par l'intermédiaire de son avocat de Helsinki, paya comptant mais laissa le proviseur y habiter encore gratuitement pendant un mois, en attendant son départ. Manssila, qui était auparavant plutôt mal logé, emménagea toutefois sans tarder avec sa famille au premier étage de la maison.

Ce printemps-là, on ne parla dans tout Kuusmäki, et jusque dans les hameaux les plus reculés de la commune, que du différend entre Jaatinen et le proviseur ; on s'effarait de la cruauté de Mme Rummukainen envers son mari, on se demandait comment elle pouvait accepter de vivre dans le péché avec cet épouvantable ingénieur, on s'apitoyait sur les deux innocents enfants dont on entendait parfois les pleurs, par la fenêtre ouverte, jusque sur la place devant la banque. On racontait que Jaatinen avait acheté à Rummukainen sa femme et ses deux filles, on colportait même le prix, vingt-trois mille marks par bébé, avec la mère en prime.

« C'est facile d'acheter des enfants quand on carotte des millions, qu'on commence par vendre du sable qu'on a eu pour rien, qu'on construit des usines et qu'on vide les caisses de la commune… c'est facile, pour un homme comme ça, d'acheter des femmes et des enfants à la pelle ! Horreur des horreurs ! »

22

Leea Rummukainen s'adapta sans trop de mal à sa nouvelle situation de compagne illégitime de Jaatinen, s'occupant à redécorer leur modeste logement, à acheter quelques nouveaux meubles, à confectionner de jolis rideaux, à fredonner gaiement en allaitant ses enfants.

Jaatinen s'attacha profondément à ses filles. Il ne se lassait pas de les regarder, la tête penchée, elles étaient vraiment trop mignonnes. Le soir, en revenant du chantier de son usine du terrain d'aviation, il les emmenait souvent se promener. Il les installait dans leur landau, fourrait une tétine dans chacune des deux petites gueules roses et parcourait les rues avec son chargement. Maman Leea les accompagnait parfois, mais pas toujours, car il fallait bien aussi faire la vaisselle.

Quand ils sortaient tous ensemble, Jaatinen poussait souvent le landau jusqu'à la Tuerie, franchissait le nouveau pont pour aller dans la pinède qui s'étendait sur l'autre rive. Là, ils étalaient une couverture sur la bruyère pour se reposer au soleil de l'après-midi, les parents buvaient du café en thermos et les bébés tétaient les seins rebondis de Leea. Son lait semblait inépuisable. Quand les enfants mangeaient, Jaatinen éteignait sa cigarette, il se disait que même dehors la fumée du tabac n'était pas bonne pour les nourrissons.

En ces tendres moments familiaux, Leea revenait parfois sur l'éventualité d'un mariage. Jaatinen repoussait l'idée, arguant qu'il voulait prendre pour épouse légitime la secrétaire de mairie Koponen.

« La loi finlandaise veut qu'un homme ne puisse pas être marié à deux femmes en même temps, expliqua l'ingénieur. Nous sommes presque comme mari et femme, Leea chérie, mais je veux aussi Irene. Essaie de comprendre. »

Mme Rummukainen avait du mal à admettre que Jaatinen veuille épouser la secrétaire de mairie mais, d'un autre côté, elle savait que celle-ci n'avait pas accepté, du moins pour l'instant, et faisait au contraire tout pour éviter son prétendant. Aussi se disait-elle, pleine de sagesse, que le temps viendrait peut-être à bout de cette amourette, Jaatinen oublierait Koponen, l'histoire s'arrêterait là. L'ingénieur, de son côté, songeait sous son grand crâne que le temps fléchirait la secrétaire de mairie en sa faveur. Le temps et la persuasion.

Mais pour l'instant, l'essentiel était pour tous deux de former un couple harmonieux, bien qu'illégitime, et, compte tenu des circonstances, ils étaient plutôt heureux. Et quel mal y a-t-il à cela !

Plusieurs fois, au cours du printemps, Leea parla aussi de faire baptiser les jumelles, mais Jaatinen était contre car il ne faisait pas partie de la communauté des croyants et ne voulait pas non plus y faire entrer ses enfants. Mais comme Leea insistait, il finit par céder et décida d'aller faire baptiser les bébés. Un jour, à l'heure du déjeuner, il les installa dans leur landau et prit la direction du presbytère. Il ne dit rien à Leea du but de sa promenade, il voulait lui faire la surprise.

L'ingénieur se sentait certes un peu gêné d'aller demander au pasteur Roivas d'administrer le baptême à ses deux enfants adultérins, mais en même temps, en quoi cela le regardait-il ? Il aurait au moins la joie de voir sa paroisse s'agrandir de deux nouveaux membres.

Jaatinen réfléchissait depuis quelques jours à des prénoms pour les jumelles, le choix était difficile. Finalement, il avait décidé d'en appeler une Pirita, c'était un joli nom pour une petite fille, et pourquoi pas pour une femme adulte, d'ailleurs. Il n'avait pas encore trouvé de second prénom, mais il avait bien le temps d'y songer.

Arrivé au presbytère, Jaatinen porta le grand landau des jumelles en haut du perron principal et entra au secrétariat. Le pasteur Roivas était assis à son bureau, il fut surpris en reconnaissant l'arrivant.

« Tiens, Jaatinen… qu'est-ce qu'un mécréant comme toi fait ici ? »

L'accueil n'était guère aimable. Mais l'ingénieur rassembla son courage et dit :

« Je suis venu les faire baptiser. Fais ton travail. »

Roivas se dressa d'un bond, l'air outré. « Comment ça, les "faire" baptiser ! Tu cherches à m'insulter ? Tu ne devrais pas venir blasphémer jusqu'ici, ça ne te suffit donc pas, d'humilier tout le village ? Je n'admettrai pas les fruits de ton péché dans le sein de l'Église, crois-moi ! »

Jaatinen tenta de calmer la fureur du pasteur :

« Je ne tiens pas personnellement à les faire inscrire sur les registres de la paroisse, mais Leea a tellement insisté... elle est plutôt pieuse, quand elle s'y met. Allez, baptise-les, tu en as pour cinq minutes. »

Roivas arpentait son bureau, hors de lui. Son front était plissé de rides sévères, il arborait une mine théologique.

« Tu n'as pas l'air de comprendre, Jaatinen. Après tout ce que tu as fait à Kuusmäki, je ne peux pas accorder la grâce de Dieu à tes enfants, à supposer qu'ils soient de toi, d'ailleurs. Administrer le baptême à des innocents n'est pas aussi simple que tu as l'air de le croire, je suis face à un dilemme. Ôte ces enfants de ma vue ! J'ai baptisé beaucoup de gens, mais jamais de tels impies.

– Tu refuses de les baptiser ?

– Tu as encore le culot de poser la question ?

– Eh bien tant pis. Je pourrai toujours les faire baptiser par l'évêque.

– L'évêque ? Tu le connais ? »

Déstabilisé par l'évocation de l'autorité épiscopale, Roivas hésita un instant, puis dit :

« Je ne pense pas qu'il accepte, lui non plus.

– Ne t'inquiète pas, je n'irai pas voir l'évêque. »

Jaatinen porta le landau au bas du perron. Le pasteur le suivit. Du haut des marches, il dit :

« Tu as peut-être obtenu un certain pouvoir temporel, mais le pouvoir spirituel est encore entre mes mains dans cette paroisse, ce n'est pas tant une affaire personnelle qu'une affaire ecclésiastique. Aucun bon berger ne voudrait, dans une telle situation, baptiser des enfants illégitimes, c'est une question de principe… »

Sous le coup de la colère, l'ingénieur conduisit le landau des jumelles droit au poste de police, où il le porta devant le commissaire Kavonkulma.

« Inscris-les sur les registres. Tout de suite. C'est bien toi l'officier de l'état civil, non ?

– Quelle mouche te pique, ne crie pas comme ça. Donne-moi leurs noms.

– On va en appeler une Pirita… et l'autre Lirita, tiens. »

Un peu plus tard, Jaatinen rentra chez lui. Il expliqua à Leea :

« Je voulais les faire baptiser, mais Roivas m'a entourloupé. En revenant, du coup, puisque l'Église n'en a pas voulu, je les ai fait mettre sur les listes laïques. »

Il tendit à Leea les certificats rédigés et tamponnés par Kavonkulma. Ils indiquaient que les enfants avaient été inscrits sur les registres de l'état civil de Kuusmäki, Jaatinen s'était même rappelé sans erreur leurs date et heure de naissance. Après avoir lu les papiers, Leea les rangea sous clef dans le tiroir du secrétaire.

« Alors comme ça, Roivas a fait de la résistance.

– Par pure malignité. Aucune règle n'interdit de baptiser des enfants naturels.

– Pirita… et Lirita… tu leur as trouvé de jolis noms. Laquelle est laquelle ?

– Ah ça ! Elles se ressemblent tellement qu'on s'y perd. Si on disait que celle du côté de la porte est Pirita ?

– D'accord. »

23

Le printemps s'installa, l'année scolaire prit fin, et avec elle le délai de grâce de Rummukainen à Kuusmäki. Le conseil d'administration du lycée mixte organisa un café d'adieu pour son départ. On avait convié les professeurs et quelques proches amis du proviseur. Après la cérémonie de clôture des cours, le café fut servi dans la salle de gymnastique. Les invités arrivèrent à l'heure dite. On resta à attendre le proviseur Rummukainen, rentré chez lui entre-temps, sans doute pour finir de faire ses bagages.

Mais on ne le voyait pas arriver à la fête donnée en son honneur.

Au bout d'une bonne heure de patience, on décida d'envoyer aux nouvelles la professeure d'instruction religieuse. Elle fut bientôt de retour de sa mission, l'air ébranlé. Puis le héros du jour entra en personne dans la salle de gymnastique. Il était fin soûl. Le brigadier Ollonen, qui faisait partie du conseil d'administration du lycée, lui poussa en hâte une chaise sous les fesses, et Jäminki se lança dans le discours qu'il avait préparé.

« Mon bien cher Rummukainen, je te remercie encore une fois pour le travail que tu as accompli, ici à Kuusmäki, pour le bien des générations montantes. Plus que tout autre, tu as contribué à transformer notre humble école mixte en un luxurieux jardin du savoir ! Je t'exprime donc notre gratitude et, pour modeste cadeau d'adieu, je te remets au nom du conseil d'administration ce vase de cristal. Puisse-t-il symboliser à jamais ton esprit, dont il a la clarté.

– Et maintenant, en piste pour la danse, brailla Rummukainen. Viens là, diablesse de professeure de religion, on va guincher ! Et boire à mon départ pour le vaste monde ! »

Le proviseur s'était levé, il se dirigea vers l'harmonium et se mit à pianoter un air de danse. Un soupir effaré se propagea dans la salle, la fête était gâchée. La professeure d'instruction religieuse se terrait derrière le dos d'Ollonen et de Jäminki, elle tremblait telle une agnelle, presque en état de choc à l'idée qu'elle risquait de devoir danser en public avec le proviseur éméché. Rummukainen tituba jusqu'à elle, lui vola un gros poutou, puis l'abandonna à son sort. Le brigadier Ollonen, entre les mains duquel le vase en cristal avait échoué, s'interposa pour calmer l'ivrogne.

« Bas les pattes, Ollonen, et donne-moi ce vase, qu'est-ce que tu fais avec mon cadeau ? »

La fête se poursuivit dans cette atmosphère pendant peut-être une demi-heure, puis les invités partirent discrètement, un à un, et pour finir le proviseur se retrouva seul dans la salle de gymnastique. Il tira une flasque de whisky de sa poche de poitrine, se versa à boire dans le vase de cristal, partit vers la classe où il avait enseigné pendant dix ans à la jeunesse de Kuusmäki. Sur le tableau noir, il écrivit : « Merde à tous les Kuusmäkiens. Rummukainen. »

Il y avait à côté du tableau une vitrine pleine d'animaux empaillés. Le proviseur, chancelant, prit appui sur le meuble, celui-ci se renversa, le matériel pédagogique se répandit sur le sol.

Plusieurs petits oiseaux, bouvreuil, hirondelle, mésange charbonnière, furent broyés sous la lourde semelle de Rummukainen, un gros tétras-lyre roula sous un pupitre. Le proviseur rampa sur le plancher de la classe à la recherche de l'animal naturalisé, mit la main dessus, sortit en titubant sur le perron du lycée mixte avec son oiseau et son vase en cristal dans les bras. Il s'y assit, à boire et à brailler. « Voici venu l'été, riant et merveilleux... », chantait-il d'une voix mélancolique. Puis il s'adressa au tétras :

« Tu es mon seul ami au monde, écoute, je vais t'emmener avec moi, mon pauvre petit coq de bruyère... »

Les gens qui passaient devant le lycée mixte regardaient avec pitié le proviseur ivre, se disant les uns aux autres :

« Rummukainen a sombré dans l'alcool, lui qui était si sérieux, c'est encore la faute de Jaatinen. »

Le proviseur, sur le perron, buvait du whisky dans son vase et tentait de faire voler le vieux tétras-lyre poussiéreux.

« Tu perds tes plumes, mon ami… mais ne t'en fais pas, ma situation n'est pas très reluisante non plus, bois un coup toi aussi, coq de Kuusmäki ! »

Leea Rummukainen vit l'état de déchéance où se trouvait son ex-mari. Elle sanglota un instant, puis téléphona à Kavonkulma afin de lui demander de faire évacuer le proviseur du perron du lycée mixte où il se donnait en spectacle. Le commissaire chargea Ollonen de s'en occuper.

Le brigadier, en uniforme, se présenta dans la cour du lycée et constata que Rummukainen était encore plus soûl, si possible, qu'à sa cérémonie d'adieu.

« Donne-moi ce tétras et arrête de beugler, tu es ridicule.

– Écoute, Ollonen, j'ai rarement vu quelqu'un d'aussi stupide que toi, je peux le dire, maintenant que je ne suis plus proviseur. Tu es plus bête que ce coq empaillé. Tu es vraiment trop con, Ollonen.

– Donne-moi ce tétras, les gens te regardent.

– C'est toi qu'ils regardent, parce que tu es con. »

Le brigadier se fâcha, tenta de prendre l'oiseau à Rummukainen, les plumes volèrent, le vase de cristal glissa des mains du proviseur et se brisa sur les marches de pierre. Ollonen lâcha le tétras, essaya de balayer les débris du pied ; au même moment, Rummukainen le frappa à la tête avec le coq de bruyère déplumé, si fort que la sciure jaillit de son ventre.

Le brigadier entreprit, cette fois avec plus d'autorité, d'arracher l'animal empaillé au proviseur. Les deux hommes s'empoignèrent.

« Au nom de la loi, Rummukainen, donne-moi ce foutu tétras », grogna Ollonen. Le proviseur luttait avec acharnement. Il s'agrippait à l'oiseau dépenaillé, en frappait le brigadier dès que l'occasion s'en présentait. L'uniforme d'Ollonen était couvert de duvet et de sciure, des plumes lui entrèrent dans la bouche et dans le gosier, il faillit s'étouffer ; exaspéré, il tira sa matraque de sa ceinture et se mit à cogner sur son adversaire.

Rummukainen prit la fuite, courut dans la rue de toute la vitesse de ses jambes et fila en direction du terrain d'aviation, balançant à bout de bras le tétras déchiqueté. Ollonen se rua à sa poursuite, les deux hommes forcèrent l'allure et disparurent du village en hurlant à pleins poumons.

« Quelle honte, commentèrent les Kuusmäkiens qui avaient suivi la scène. Et en plus, ils courent dans le mauvais sens, ils vont vers l'aérodrome, les malheureux, il y a Jaatinen, là-bas. Mon Dieu, mon Dieu, que va-t-il encore se passer ? »

Au même moment, l'ingénieur pédalait vers le bourg, revenant de son usine. Il entendit de loin les cris des deux hommes, puis vit le proviseur courir à sa rencontre, galopant sauvagement, abreuvant Ollonen d'injures et brandissant un tétras en lambeaux.

En voyant arriver Jaatinen, Rummukainen, plongeant dans la forêt, fit un grand crochet pour l'éviter puis revint sur la route, cavalant toujours. Le brigadier Ollonen, en sueur, courait sur ses talons d'un pas lourd ; il fit le même détour en croisant l'ingénieur. Bientôt les deux hommes disparurent vers le terrain d'aviation, et peut-être bien plus loin.

Jaatinen haussa les épaules, poursuivit son chemin. Rummukainen avait sans doute fait un esclandre au village.

« Plutôt pittoresque, comme départ de Kuusmäki », songea l'ingénieur.

24

Les bâtiments de Bétons et Boues du Nord sortaient rapidement de terre et, quand arriva la Saint-Jean, ils commençaient à avoir l'air d'une véritable usine. Le terrain d'aviation s'était transformé pendant le printemps en un vaste ensemble de baraques, entrepôts et constructions diverses : d'énormes masses de terre avaient été extraites du sol, un gros convoyeur soviétique charriait jour et nuit le sable fin et le gravier tirés de l'excavation, les bétonnières tournaient à plein, malaxant leurs matériaux avant même que l'usine soit totalement achevée. On installait de nouvelles machines, Jaatinen enseignait aux ouvriers la chimie du béton, on effectuait des calculs de résistance, les premiers anneaux de cuvelage séchaient entassés dans la zone de stockage derrière l'aérodrome.

Après la Saint-Jean, Jaatinen embaucha cinq hommes de plus sur le chantier et, au début de juillet, l'usine put commencer à tourner à plein régime. Son premier produit fut une série de cent éléments préfabriqués pour un immeuble d'habitation, vendus par la mercaticienne Säviä à une entreprise de bâtiment dont les camions venaient chercher les pièces à mesure qu'elles sortaient de la chaîne.

Un mois après le début des essais de fonctionnement, à la fin juillet, Jaatinen hissa un drapeau sur le toit et actionna si fort le sifflet de l'usine qu'on l'entendit jusqu'au village. On stoppa les machines pour inaugurer officiellement l'établissement. Toute la journée, on but et on mangea. Jaatinen avait fait installer sur l'herbe de longues tables de planches et de panneaux d'aggloméré, dresser le couvert avec des nappes et des fleurs et servir une matelote de saumon dans des assiettes en carton. Le canton entier avait été invité et plus de cinq cents personnes endimanchées se pressaient sur les lieux. La nourriture ne risquait pas de manquer, la fanfare jouait, le soleil tapait sur le terrain d'aviation.

Jaatinen présenta ses installations à quelques clients venus de Helsinki. Tous s'émerveillèrent de l'homogénéité du sable. Le banquier présent en tant que bailleur de fonds de l'entreprise avait l'air satisfait. Il demanda des précisions sur la capacité de production et la gestion du marketing.

Pyörähtälä, épaulé par la mercaticienne Säviä, s'empressa toute la journée auprès des invités, montrant, expliquant, concluant même des ventes. Les ouvriers promenaient eux aussi les visiteurs dans l'usine, présentaient les machines, les bâtiments qu'ils avaient eux-mêmes construits. Et quoi de plus naturel, d'ailleurs, car chacun d'eux était actionnaire de la société. La part de Jaatinen était certes la plus importante, mais près de la moitié de l'usine appartenait aux ouvriers, sous forme d'actions distribuées en échange de salaires non perçus.

L'assemblée générale convoquée au printemps avait nommé un conseil d'administration où siégeaient – en plus de Jaatinen – Manssila, Pyörähtälä et cinq autres ouvriers. Le conseil avait ensuite décidé de créer un comité d'usine, qui n'était pas sans utilité : il examinait toutes les grandes questions touchant à l'entreprise, et chacune des décisions prises par Jaatinen lui était soumise. Quand les salaires de la branche furent augmentés au milieu de l'année, le comité décida d'une hausse plus généreuse que les autres employeurs. On construisit aussi, à coups d'heures supplémentaires, une nouvelle cantine pour le personnel, ainsi qu'un sauna et des salles d'eau.

Jaatinen avait fait creuser un puits dès le printemps, mais, comme l'été était sec, il ne suffisait pas toujours à étancher les gosiers assoiffés des machines de l'usine. Il fallut réaliser à grands frais des travaux d'adduction afin de dériver l'eau de la Tuerie jusqu'au terrain d'aviation, en coupant à travers le nord de la commune, et, si l'on n'avait pas approvisionné les installations par camion-citerne dans les moments les plus critiques, la production aurait dû être stoppée. Une usine à béton a en effet surtout besoin d'eau, de bonne qualité, et de gravier, tamisé.

Bétons et Boues du Nord dut emprunter pour couvrir ses frais d'exploitation. La banque de Helsinki n'était guère disposée à lui accorder des facilités supplémentaires et l'on s'adressa donc au crédit mutuel de Kuusmäki afin d'obtenir un prêt sur garantie personnelle – chacun des actionnaires signa le document, et les caisses furent à nouveau garnies pour quelques mois. Jaatinen fut obligé de faire tourner l'usine en continu car les intérêts des emprunts pesaient lourd, une chape de plomb semblait s'étendre sur le terrain d'aviation. Les acheteurs tardaient à régler leur dû, Bétons et Boues du Nord était en si mauvaise posture qu'un jour Pyörähtälä, qui était responsable des paiements, se plaignit à Jaatinen :

« J'ai eu des vomissements, hier soir. »

Quand l'ingénieur lui demanda ce qu'il avait mangé, s'il y avait un problème avec la tambouille de la cantine, il répondit :

« Ce n'était pas ce que j'avais mangé.

– Alors quoi ?

– Du sang. »

Jaatinen s'immergea si profondément dans les affaires de l'usine qu'on ne le voyait plus nulle part, tout son temps y passait. Et plus il regardait ses papiers, dans son bureau surchauffé, plus sa mine s'assombrissait. Bétons et Boues du Nord, comme toute entreprise qui s'agrandit brusquement, se débattait dans des difficultés de trésorerie, il y avait bien de l'argent, mais pour combien de temps ? Un mois, deux… Les rentrées se faisaient attendre, et les bénéfices n'étaient pas aussi importants que prévu : le fret, surtout, grevait le budget, car il fallait livrer par camion les lourds produits en béton de l'usine. Les frais de location des semi-remorques avaient augmenté, des éléments cassaient pendant le transport, en tout cas à en croire les clients…

pas étonnant que Pyörähtälä, naguère si joyeux, ne boive plus que de l'eau gazeuse.

Enfin, un matin d'août, Jaatinen alla trouver la mercaticienne Säviä.

« On va à Helsinki. Il nous faut une voie ferrée. »

À la direction générale des Chemins de fer, Jaatinen engagea des négociations efficaces. On regarda la carte de Kuusmäki, les comptes de l'usine... les fonctionnaires s'étonnèrent de ce que Jaatinen ne les avait pas contactés plus tôt. Mais ils comprenaient, en même temps, qu'un ingénieur des ponts, dans son inexpérience, puisse faire exagérément confiance au transport routier.

La construction d'une voie ferrée n'est pas une mince affaire, quand bien même le tronçon envisagé ne ferait que trois kilomètres. Jaatinen proposa que l'on réalise le raccordement voulu à partir de la ligne qui passait au nord du village, et que la direction générale des Chemins de fer prenne les travaux en charge.

Les fonctionnaires accueillirent favorablement l'idée, après avoir été informés que Bétons et Boues du Nord utiliserait cette voie de raccordement pour acheminer tous les éléments lourds de sa production.

« Nous allons mettre cette nouvelle voie à l'étude, et accélérer les choses au maximum... elle devrait voir le jour d'ici trois ans.

– Trois ans ?

– Oui, il faut en général plus de temps, pour un tronçon de cette longueur, mais heureusement il y a là un esker de sable sur lequel on pourra construire, ce sera vite fait ;

par contre, pour les études techniques et la prise de décision, ce sera plus long... Il est rare que l'on réalise de nouvelles portions de voie, de nos jours, le dossier doit être solidement argumenté.

– J'ai besoin de cette voie dans deux mois. À l'automne. »

Les papiers tombèrent des mains des fonctionnaires stupéfaits. Ils regardèrent attentivement Jaatinen, se demandant s'il était fou.

Dans ces circonstances, l'ingénieur renvoya la mercaticienne Säviä à Kuusmäki. Il resta lui-même à Helsinki afin de poursuivre les négociations, malgré les doutes de ses interlocuteurs sur l'utilité de la démarche.

Cette nuit-là, dans sa chambre d'hôtel, Jaatinen effectua des calculs, tira des barres au crayon-feutre sur du papier-calque, fit cliqueter sa calculette de poche. Du dancing du rez-de-chaussée montait une musique assourdissante, mais il n'avait pas le temps de se laisser distraire. Il savait que c'était en ces instants que se jouait l'avenir de Bétons et Boues du Nord. L'heure tournait, la pile de papiers grossissait sur la table, les feuilles se couvraient d'interminables rangées de chiffres. Il n'y avait plus assez de place sur le meuble, Jaatinen dut installer son matériel de dessin et de calcul sur le plancher de sa chambre d'hôtel. Il s'échinait là à quatre pattes, l'air tendu, quand on frappa à la porte et que la femme de chambre entra avec le petit déjeuner.

L'ingénieur mangea par terre à croupetons et, après avoir passé encore une heure dans cette position inconfortable, il se releva enfin, s'étira, alla laver son visage fatigué. Puis il ramassa ses papiers, les fourra dans sa mallette, sauta dans un taxi et se fit conduire à la direction générale des Chemins de fer.

Jaatinen déballa ses documents sur la table de la salle de réunion et se lança dans des explications :

« Je suppose qu'il faudrait installer ici un aiguillage, et là un quai de chargement... la voie devrait suivre ce tracé, les terres de ce côté m'appartiennent et je pourrais louer ou acheter les autres.

– C'est bien ça », concéda-t-on.

Puis Jaatinen fit une proposition :

« S'il vous faut vraiment trois ans pour faire ce bout de voie, que diriez-vous si je le réalisais moi-même ?

– Vous ?

– Oui. Il n'y a qu'à ouvrir une tranchée dans la forêt au bulldozer et amener du ballast, je n'aurai besoin que de quelques semaines pour construire une voie sur cet esker. Vous avez des rails ? Je coulerai des traverses en béton, rien de plus facile avec mon usine. Nous pouvons conclure un marché, je dégage le terrain et je pose les rails, vous vous occupez de l'aiguillage, je ferai même ma propre gare. Et je céderai la voie à la Société des chemins de fer, à condition de pouvoir déduire les frais de construction du prix du fret ferroviaire. J'ai calculé cette nuit que la ligne pourrait être ouverte au trafic dans un mois et demi, si seulement vous avez du matériel roulant et des rails.

– Vous n'avez pas froid aux yeux. Ce n'est pas possible.

– C'est possible si on fait ce qu'il faut pour.

– La construction d'une voie ferrée n'est pas un jeu d'enfant. Pour nous, votre proposition est bien sûr avantageuse, mais la direction générale des Chemins de fer ne peut pas s'engager dans une entreprise vouée à l'échec. Un tel projet exige des compétences professionnelles. Et de l'argent. Rien que la conception…

– J'ai construit cinq ponts de chemin de fer, et je les ai tous équipés moi-même de rails. Aucun souci de ce côté-là. Et j'ai du matériel lourd et des hommes. Mettons-nous d'accord et signons les papiers, que je puisse y aller. »

Il fallut encore deux jours pour que la direction générale des Chemins de fer accepte que Jaatinen construise trois kilomètres de voie ferrée pour le compte de l'État, en échange d'une remise sur le fret ferroviaire. En signant le contrat, le directeur général des Chemins de fer déclara :

« Même pendant la guerre, nous n'avons jamais conclu de marché de construction. Vous êtes à vrai dire l'homme le plus téméraire à qui nous ayons jamais eu affaire dans cette maison. Mais nous allons signer, ça ne nous coûte rien, à part cet aiguillage. Et je crois que nous n'aurons jamais à le réaliser. »

Jaatinen parapha l'accord d'une main si décidée que la plume traversa deux fois le papier.

« Les rails se trouvent donc à Riihimäki ? Faites-les transporter par train à Kuusmäki, nous viendrons les chercher au dépôt en camion. Bon, j'y vais », dit-il, et il partit.

D'une cabine téléphonique de la place de la Gare, Jaatinen appela Pyörähtälä et Säviä à Kuusmäki :

« On modifie le programme de production dès aujourd'hui. On va tout de suite commencer à fabriquer des éléments lourds, ceux pour lesquels on a de la demande. Des W.-C. modulaires, et puis ces cuisines… leur livraison n'est prévue que pour l'été prochain, mais on s'y met tout de suite. Fini les anneaux de cuvelage et les parpaings. On n'a plus de temps à perdre avec ces bricoles.

– Tu as bu ? Comment veux-tu qu'on les transporte, on ne peut pas charger des marchandises aussi lourdes sur des semi-remorques.

– Je rentre aujourd'hui. On va construire nous-mêmes ce chemin de fer. »

25

Dès son retour à Kuusmäki, Jaatinen convoqua une réunion générale du personnel. Les ouvriers se rassemblèrent à la cantine, curieux de savoir de quoi il retournait, on avait entendu dire que l'ingénieur était allé négocier à Helsinki pour le compte de l'usine, mais rien de plus. Des rumeurs sur les difficultés de l'entreprise circulaient malgré tout depuis déjà plusieurs semaines au village.

« Je me suis mis d'accord avec ces messieurs de la direction générale des Chemins de fer sur la construction d'une voie ferrée, ici à Kuusmäki, pour notre usine, annonça Jaatinen. Le contrat prévoit que les Chemins de fer réaliseront l'aiguillage et mettront des rails à notre disposition, et que nous ferons nous-mêmes la ligne. »

Un brouhaha s'éleva. Construire une voie ferrée ? Jaatinen avait-il définitivement succombé à la folie des grandeurs ? On pouvait se le demander.

Pyörähtälä décrivit la triste situation financière de la société. Personne ne fit aucun commentaire, le pronostic était sombre, un point c'est tout.

La mercaticienne Säviä prit la parole. Elle avait de bonnes nouvelles :

« J'ai vendu en Pologne plus de sept cents W.-C. et salles de bains préfabriqués, pour une livraison à brève échéance. Le marché intérieur est en permanence demandeur d'éléments de construction. Nous avons avec l'Autriche un précontrat de fourniture de deux cents cuisines alpines. Mais tous ces produits sont si lourds qu'il est hors de question de les transporter par camion, ça reviendrait trop cher. Le train est la seule solution.

– Nous avons trois possibilités : ou nous construisons notre propre voie ferrée, ou nous réduisons l'activité de l'usine et nous mettons la moitié du personnel au chômage. Ou c'est la faillite. Nous avons environ un mois et demi pour construire le chemin de fer, c'est à cette date que nous commencerons à avoir des marchandises à livrer par train. La situation est grave, que fait-on ? »

Ainsi parla Jaatinen. Il ajouta encore : « Si nous décidons de construire cette voie ferrée, tout le monde devra faire à titre exceptionnel des journées de travail de seize heures, sept jours sur sept, pendant un mois et demi. Les banques n'accordent pas de crédits pour ce genre de travaux, nous ne devons donc compter que sur nos propres ressources. Nous pouvons puiser un peu dans les fonds de roulement, mais le chantier va engloutir pas mal d'argent, même si les rails et l'aiguille de raccordement sont fournis par les Chemins de fer. »

L'idée de construire une voie ferrée paraissait si énorme que personne ne savait quoi dire. Une entreprise aussi pharaonique était-elle seulement possible ? La commune de Kuusmäki réclamait depuis les années trente le raccordement du bourg au réseau ferré, on en rêvait aux réunions du conseil municipal, mais jamais auparavant la direction générale des Chemins de fer ne s'était intéressée au projet. Et voilà qu'il devenait soudain réalité, qu'il était à l'ordre du jour. Le train à Kuusmäki !

Jaatinen proposa aux ouvriers de rentrer chez eux réfléchir à la question. Chacun pourrait décider librement s'il voulait participait à ce projet insensé ou s'en tenir à l'écart.

« On se retrouvera ici ce soir à dix heures. Ceux qui sont prêts à collaborer au chantier n'ont qu'à venir, ceux qui sont contre la construction d'une voie ferrée peuvent rester dormir dans leur lit. »

Les ouvriers se dispersèrent. La nouvelle du projet de ligne de chemin de fer se répandit rapidement au village. Les gens hochaient la tête, mon Dieu, mon Dieu, Jaatinen a vraiment perdu les pédales, voilà qu'il prétend construire sa propre voie ferrée. Quand Jäminki eut vent de la chose, il éclata d'un rire gras.

« Ça fait quarante ans que je réclame une gare à Kuusmäki et qu'on me la refuse. Il faudra bien aussi que les initiatives de Jaatinen trouvent leurs limites, je n'ai jamais vu un projet aussi fou. Toute l'usine va faire faillite, et les ouvriers auront travaillé pour rien. Il n'y a pas une once de bon sens dans cette entreprise. »

À dix heures du soir, une vingtaine d'hommes se retrouvèrent au champ d'aviation. Les ouvriers de Bétons et Boues du Nord avaient donc décidé à l'unanimité de construire sous la conduite de Jaatinen une voie de chemin de fer à Kuusmäki. Quelques femmes, employées à la cantine ou dans les bureaux, étaient aussi présentes.

« Le chantier de la voie ferrée va tourner vingt-quatre heures sur vingt-quatre, on va installer des roulantes pour manger sur place, et maintenant au travail. »

Tout autre discours était superflu. Jaatinen grimpa sur le siège d'un bulldozer, fit démarrer le lourd engin diesel et le dirigea vers l'extrémité du terrain d'aviation. Les hommes le suivirent en silence. Ils portaient des tronçonneuses, des haches, quelques-uns dévidaient une grande bobine de câble afin d'amener du courant électrique et d'installer des baladeuses pour éclairer le chantier. On accrocha les lampes à des perches, une guirlande de lumière se balançant doucement dans le vent se forma dans le soir d'août. Les tronçonneuses vrombirent, les premiers grands arbres tombèrent avec fracas, ouvrant une brèche dans la forêt.

Tandis que la nuit se faisait plus noire, l'ingénieur abandonna le bulldozer à un autre conducteur. Il entreprit avec quelques hommes de jalonner le tracé de la voie à la lumière d'une lampe tempête, après avoir déterminé la direction générale à l'aide une boussole. On marqua d'une croix le flanc des arbres, on les abattit et on les traîna hors du chemin ; Jaatinen planta le long de la ligne des piquets écorcés dont la blancheur tranchait sur l'obscurité de la nuit. Il avançait vite, sans fignoler.

« Je n'ai jamais vu un rythme de travail aussi forcené », dit quelqu'un autour du feu de camp, aux alentours de minuit, tandis que l'on mangeait de la soupe aux pois. « La voie va sacrément zigzaguer, si on défriche dans le noir. »

Manssila déclara qu'on vérifierait le calcul du tracé à la lumière du jour. « L'emplacement exact de la ligne n'est pas à un mètre près, à ce bout-ci. »

Jaatinen rejoignit ses hommes près du feu. Tout en mangeant sa soupe, il expliqua :

« Le temps presse, nous devons achever chaque jour cent mètres de voie en moyenne. Il faut donc déboiser cette nuit environ cinq cents mètres. Demain matin, les machines commenceront à creuser la plate-forme et les camions viendront tout de suite décharger du sable pour les remblais. »

Son assiette de carton était vide, Jaatinen fuma une cigarette, puis se leva.

« Retournons défricher. »

Jamais on n'avait vu chantier aussi formidable. En quelques jours à peine, une tranchée de trois kilomètres s'ouvrit dans la forêt, les pelleteuses dénudaient le sol, les camions déversaient des matériaux de remblai sur l'assiette de la voie et, une semaine plus tard, les rouleaux compresseurs vibrateurs tassaient de tout leur poids le socle sur lequel les semi-remorques déposaient leur chargement de traverses. Au même moment, du côté du terrain d'aviation, on posait les premiers rails. Un convoi exceptionnel apporta de Riihimäki une locomotive de chantier que l'on hissa à l'aide de grues sur la nouvelle voie. On chargea le train de traverses en béton et de rails luisants qu'il partit en grondant livrer sur le chantier. Plus loin, à deux kilomètres, on entendait des explosions, Jaatinen y dynamitait une petite colline rocheuse barrant le passage.

Une fois que la pose des rails eut trouvé son rythme, Jaatinen embaucha pour renforcer l'équipe cinq professionnels de Riihimäki. Ces derniers furent sidérés, la cadence insensée du chantier dépassait leur entendement. Ils ne comprenaient pas non plus que l'on puisse continuer à travailler d'arrache-pied quand ni le contremaître Manssila ni l'ingénieur Jaatinen n'étaient en vue.

Le soir, les nouveaux venus rentrèrent au bourg, mais les hommes de Jaatinen poursuivirent leur besogne sans se soucier le moins du monde de l'heure qu'il était.

Le lendemain, les poseurs de rails de Riihimäki se lassèrent de ce dur labeur et déclarèrent qu'il n'était plus dans les mœurs, à notre époque, de se tuer à la tâche. Ils jetèrent leurs outils à terre, allèrent donner leur démission. Pyörähtälä leur régla leur solde et ils quittèrent les lieux. En partant, ils dirent encore :

« Quel chantier de fous. C'est dingue. »

La nouvelle de la voie ferrée de Jaatinen se répandit rapidement. Des curieux vinrent voir les travaux, un journaliste se présenta même pour prendre des photos et interviewer l'ingénieur et ses hommes. Les villageois observaient avec incrédulité la monumentale entreprise, sans même penser à se réjouir d'avoir enfin le train à

Kuusmäki. Beaucoup prédisaient que le projet s'écroulerait de lui-même.

« Il se croit aussi puissant que l'État, à vouloir construire des chemins de fer. »

Le principal bailleur de fonds de Jaatinen entendit lui aussi parler de ces grands travaux. Vers la fin du mois d'août, deux représentants de la banque firent leur apparition sur le chantier. Ils se promenèrent sur le ballast, s'étonnèrent du paysage dévasté.

Ils trouvèrent Jaatinen et Pyörähtälä sur le terrain. L'ingénieur conduisait un bulldozer, Pyörähtälä dirigeait une équipe d'ouvriers depuis la locomotive de chantier.

Voyant les visiteurs, Jaatinen arrêta son engin fumant et sauta de la cabine, l'air fatigué.

« C'est de l'argent que vous venez m'apporter ? demanda-t-il d'un ton sec.

– Le bruit a couru jusqu'à Helsinki que vous vous étiez lancé dans un nouveau projet. Nous sommes venus voir, j'espère que vous n'avez rien contre. Nous pensions que cette histoire de train n'était qu'une rumeur, mais on dirait que vous construisez vraiment une voie ferrée. »

L'autre dit :

« À la banque, nous vous prenions jusqu'ici pour un industriel. Qu'est-ce que ça signifie ?

– Je fais juste quelques kilomètres de voie pour pouvoir expédier ma marchandise. Rien de plus. L'usine tourne à plein régime, la mercaticienne Säviä peut vous montrer les stocks de produits finis. Ces travaux n'entravent pas la production. »

Les banquiers marchaient avec précaution sur le remblai, l'un dit en pesant ses mots :

« C'est un gros chantier. Vous devez comprendre que nous soyons préoccupés, avec les capitaux que nous avons engagés. Je peux vous dire que nous n'avons encore jamais été confrontés à des méthodes de gestion pareilles. Personne n'avait jamais tenté de construire de chemin de fer, sauf peut-être dans des mines. Je crains que nous n'ayons été trop confiants à votre égard. Nous devons hélas maintenant mener une petite enquête sur votre entreprise, nous ne pouvons pas continuer à vous prêter de l'argent sur la seule foi d'assurances verbales. Vous comprenez ?

– Une analyse d'entreprise... et si son résultat est négatif, vous reprenez vos billes.

– Oui... je regrette, mais nous sommes obligés de nous renseigner sur la gestion de Bétons et Boues du Nord S.A. N'oubliez pas que votre société est en majeure partie financée par des capitaux d'emprunt et que, s'il arrive quelque chose, nous nous trouverons dans une situation délicate.

– Très bien. Venez faire votre analyse dans deux mois, ou mettez un consultant sur l'affaire. Mais pour l'instant je n'ai pas le temps, je dois terminer cette voie ferrée et organiser mes livraisons.

– Dites-moi, Jaatinen, en tant que directeur général, est-il bien raisonnable, à votre avis, que vous soyez sur ce chantier et pas dans votre bureau... le traitement des affaires courantes risque d'en souffrir.

– Je dirige la société d'ici... et j'ai pour principe d'être là où le travail est le plus urgent. Je dicte mes lettres de nuit.

Les bureaux sont ouverts vingt-quatre heures sur vingt-quatre, en ce moment. »

Les banquiers s'en allèrent. Deux mois plus tard, leurs analystes vinrent à Kuusmäki ; ils y passèrent une semaine, interrogèrent le personnel, examinèrent la comptabilité, la trésorerie, la production, fourrèrent leur nez partout. La voie ferrée était alors achevée, un train de marchandises venait trois fois par semaine charger sur son quai la production de l'usine. Les experts rendirent un rapport extrêmement positif sur Bétons et Boues du Nord S.A., malgré l'expression de quelques doutes dans leurs conclusions : « La société en question fonctionne selon une pensée économique fondée sur le risque, et il ne semble pas que la direction soit prête à adopter des principes de gestion modernes. Les salariés ont envers leur employeur un comportement que l'on pourrait qualifier de servile, dont il est difficile de croire qu'il résulte uniquement du système d'actionnariat ouvrier en vigueur dans l'entreprise. Mais en dépit de ces réserves, la situation financière de Bétons et Boues du Nord S.A. est solide et sa solvabilité peut être qualifiée d'excellente. »

La voie ferrée fut terminée dans la deuxième semaine de septembre. La direction générale des Chemins de fer fit installer sur la ligne principale, conformément au contrat, un embranchement et un aiguillage, ainsi qu'une petite cabine d'aiguilleur, et un premier train vint inaugurer le nouvel ouvrage.

Le convoi comprenait quelques lourds wagons à boggies et, en queue, une voiture de voyageurs ordinaire de la

Société des chemins de fer. Le train s'engagea en douceur sur la bretelle, où, devant le poste d'aiguillage, toute l'équipe des ouvriers de Jaatinen monta à bord. La lourde locomotive diesel prit son élan, le convoi étincelant se mit en branle dans la chaude matinée d'automne, les wagons gémirent aux jointures ; la motrice grondante entraîna sa charge sur le nouvel embranchement, dans la profonde forêt que personne, quelques semaines plus tôt, n'avait encore traversée. Le sol vibra tandis que le convoi s'avançait lentement sur l'acier scintillant, les hommes passaient la tête par les fenêtres, criaient :

« C'est moi qui ai posé ces rails !

– Tu te rappelles ce tournant, c'est là que le bulldozer s'est renversé !

– Et là qu'on a fait du feu, une nuit ! »

Près du terrain d'aviation, des petits garçons coururent à la rencontre du train. Les constructeurs du chemin de fer se pressaient aux portes de la voiture de voyageurs, quelques-uns montèrent par l'échelle sur le toit ; il y eut bientôt là une quinzaine hommes, l'un d'eux entonna un chant. Le train arriva solennellement à l'aérodrome, freina puissamment, pointa le nez vers le quai où se pressaient les villageois.

Là, le convoi s'arrêta. Les hommes sautèrent du toit du wagon, on tira dehors le conducteur de la locomotive, on l'embrassa, des bouteilles de vodka surgirent des poches. Le directeur général des Chemins de fer était arrivé en voiture, il cherchait Jaatinen des yeux, mais ce dernier semblait avoir disparu. On se mit à sa recherche et on le trouva enfin, dans le wagon de voyageurs. Il dormait à poings fermés sur une banquette, la tête sur la poitrine, et l'on eut le plus grand mal à le réveiller.

Quand on eut enfin réussi à le secouer, l'ingénieur sortit du train, se frotta les yeux dans la vive lumière du soleil, salua distraitement le directeur général des Chemins de fer qui déclara :

« Vous avez malgré tout réussi. Je dois dire que c'est un superbe exploit. Nous sommes admiratifs, dans nos services. Félicitations ! »

Le directeur général prononça un discours aux termes duquel il accepta officiellement la cession de la voie au nom de la Société des chemins de fer, remercia les constructeurs et porta un regard optimiste sur l'avenir de la commune de Kuusmäki.

La foule applaudit avec enthousiasme, puis vint le tour de l'allocution du représentant de la municipalité. Mais Jäminki n'avait pas l'air d'être là. Qui donc allait s'exprimer au nom de la commune ?

La secrétaire de mairie Koponen vint à la tribune. Elle lut le discours qu'elle avait préparé, le rose aux joues, visiblement intimidée. Elle remercia la direction générale des Chemins de fer, les ouvriers du chantier et, après une petite pause, elle exprima aussi, avec un certain embarras, la gratitude de la municipalité envers l'instigateur et principal artisan du projet, dont elle ne mentionna cependant pas le nom. Elle descendit de l'estrade sous les vivats.

Jaatinen avait écouté avec ravissement le discours de la secrétaire de mairie Koponen, toute trace de fatigue envolée. Quand elle quitta la tribune, il continua d'applaudir longtemps après que le reste du public avait cessé de manifester son approbation. Koponen était de plus en plus rouge, Jaatinen ne semblait pas avoir la moindre intention de cesser de frapper dans ses mains.

« Arrête », chuchota la secrétaire de mairie quand elle parvint jusqu'à lui à travers la foule, et ce n'est qu'à ce moment qu'il s'arrêta de faire bravo. Embarrassé, il regarda ses paumes cramoisies, les enfonça dans ses poches.

Sans plus de cérémonies, on fit entrer le train dans l'entrepôt de l'usine et les employés des Chemins de fer entreprirent de charger les lourds éléments de béton sur les wagons. Les grues grinçaient et cliquetaient. Les nouveaux préfabriqués de Bétons et Boues du Nord partirent pour le vaste monde.

La fête était finie, les gens reprirent le chemin du bourg, à pied, en voiture ou à bicyclette. Les représentants des Chemins de fer signèrent toute une série de documents, puis on se serra une dernière fois la main et ils s'en allèrent. Le représentant du département s'en fut lui aussi, après avoir salué Jaatinen au nom du préfet et de madame.

L'ingénieur partit bon dernier vers le village. La secrétaire de mairie Koponen s'éloignait à pied du terrain d'aviation, balançant son sac à main. Jaatinen fit tinter la sonnette de sa bicyclette.

Ils s'arrêtèrent là, sur la route. La secrétaire de mairie regarda l'ingénieur dans les yeux, il lui rendit son regard. Leurs deux cœurs battaient follement.

Jaatinen invita Koponen à monter sur son porte-bagages, qu'elle n'ait pas à faire tout le chemin à pied.

« Ou sur la barre, si tu préfères. »

Mais elle n'osait pas. Jaatinen la raccompagna donc jusqu'au bourg en poussant sa bicyclette. Quand on entendit siffler le train, du côté du terrain d'aviation, la main de la secrétaire de mairie se glissa dans celle de l'ingénieur.

26

Cet automne-là, la situation financière de Bétons et Boues du Nord S.A. se trouva définitivement consolidée. Le crédit en revenait en grande part à l'achèvement de la voie ferrée : on pouvait maintenant expédier les produits lourds de l'usine dans le monde entier, avec une souplesse accrue et à moindres frais. Pyörähtälä avait calculé que l'entreprise serait exonérée de tout paiement de fret ferroviaire pendant trois ans, le temps que l'État éponge sa dette pour la construction du chemin de fer.

Une fois le chantier terminé, Jaatinen se replongea avec ardeur dans la vie associative de Kuusmäki. Il fut élu président des officiers de réserve en remplacement de Rummukainen, qui avait quitté la localité. Il fut également nommé vice-président de la société de chasse, et l'on émit l'idée qu'il serait peut-être plus à sa place que le pasteur Roivas à la tête du Rotary Club. « Pas tout de suite, fit savoir l'ingénieur, Roivas peut rester président pour l'instant. »

Il accepta par contre volontiers la présidence de la section locale d'Aide à l'enfance. En cette qualité, il s'empressa d'adopter ses propres enfants. Leea ne put qu'accepter cette décision.

À l'automne, avant que le gel durcisse le sol, Jaatinen acheta dans le village un terrain sur lequel il entreprit de se construire une maison. En béton, bien entendu. Elle s'éleva en trois semaines dans le centre du bourg, superbe, à flanc de colline. Les Kuusmäkiens s'étonnèrent de voir, à mesure qu'avançaient les travaux, qu'elle se composait de trois parties : un vaste corps central et deux ailes de taille égale, l'une à l'est, l'autre à l'ouest. Jaatinen installa dans chacune d'elles une cuisine et une salle de bains. Quand on lui demanda pourquoi il aménageait en fait trois appartements dans les mêmes murs, il lâcha :

« J'ai l'intention de loger Leea dans l'aile ouest, moi j'habiterai au milieu, et je pense que la secrétaire de mairie emménagera un jour dans l'aile est. J'espère bien qu'elle se laissera convaincre. »

Quand Irene Koponen apprit les projets architecturaux de Jaatinen, elle entra dans une fureur noire, considérant la construction de cette aile comme une injure personnelle. Elle se garda bien de s'y installer, et ce côté de la maison resta vide.

En octobre, la bataille s'engagea sérieusement pour les élections municipales. Jaatinen fut nommé président de la commission électorale centrale, car ses partisans étaient aussi nombreux dans un camp que dans l'autre. Sans vouloir se présenter lui-même, il portait un vif intérêt à la campagne.

L'ingénieur examina avec soin la liste des candidats. Il marqua d'une croix ceux qui lui convenaient. Puis il convoqua le rédacteur en chef de *La Gazette de Kuusmäki.*

« Je veux que tu mettes en permanence ces noms en avant dans ton journal, jusqu'au vote. Pour les autres, tu ne mentionneras même pas leur candidature, et nous n'accepterons aucune publicité, payante ou autre. Nous allons par contre ouvrir largement et gratuitement nos colonnes à toutes les personnes de ma liste, et c'est moi qui paierai leurs annonces électorales. C'est clair ? »

Itkonen fut scandalisé. Il accusa Jaatinen de manipuler la presse.

« Ça ne te suffit pas, que je vante ta firme dans chaque numéro ? Tu as vraiment besoin de te mêler du déroulement des élections municipales ? Tu es ignoble.

– Exact, mais c'est quand même comme ça qu'on va procéder. J'ai besoin de changements dans le conseil municipal de cette commune et, face à ça, ta déontologie ne fait pas le poids. »

Itkonen parcourut la liste de Jaatinen.

« Je ne vois pas le nom de Jäminki. C'est pourtant lui le maire sortant.

– Il ne sera pas question de lui à ces élections. Et il ne sera pas élu au conseil. C'est un fait. »

Les dents serrées, le rédacteur en chef céda. Il accepta même d'imprimer des affiches pour chacun des protégés de Jaatinen et fit la tournée de la commune, avant les élections, pour les punaiser jusque dans les hameaux les plus reculés sur les murs des granges et des abris à bidons de lait. *La Gazette de Kuusmäki* se remplit d'interviews des favoris de l'ingénieur, sans un mot sur les autres candidats.

De son côté, Jaatinen prit contact avec ceux qu'il avait choisis. Il leur expliqua sans détour qu'il avait décidé de soutenir leur campagne, et leur laissa entendre ce que cela impliquerait après les élections. Seuls deux d'entre eux refusèrent toute coopération ultérieure ; l'ingénieur les raya sans remords de sa liste. Leurs affiches disparurent soudain du paysage, et leurs noms ne furent plus mentionnés dans *La Gazette de Kuusmäki*. Ils ne furent pas non plus, ensuite, élus au conseil municipal.

Une semaine avant le vote, le bruit de ces manœuvres se répandit. On commença à parler dans le village des « élections de Jaatinen ». Un bref communiqué tordant le cou aux rumeurs parut dans *La Gazette de Kuusmäki* : « Les citoyens de cette commune éliront bientôt au suffrage universel, et en toute liberté, leurs candidats au conseil municipal. Si j'ai souhaité contribuer à cette campagne électorale, c'est, en dehors de tout clivage partisan, pour apporter mon soutien, en tant qu'entrepreneur local, à des personnes dont le talent et l'énergie m'inspirent la plus entière confiance. Jaatinen. »

La campagne prit fin, on en arriva au scrutin lui-même. Jaatinen, en sa qualité de président de la commission électorale centrale, était assis derrière la table du bureau de vote. Il regardait chaque électeur dans les yeux, et bon nombre de femmes de petits agriculteurs le saluaient d'une révérence polie. Quelqu'un lui demanda avant d'entrer dans l'isoloir :

« Le numéro 16, c'est bien un de ceux qui ont votre agrément ? »

Quand le pasteur Roivas se présenta au bureau de vote, Jaatinen refusa de lui donner un bulletin car son nom, pour une raison ou une autre, ne figurait pas sur la liste des électeurs.

« Qu'est-ce que ça veut dire, grommela le pasteur. J'ai bien le droit de voter, quand même ?

– Pas cette fois. Je regrette, il a dû y avoir une erreur, ton nom a disparu de la liste électorale et je ne peux pas te donner de bulletin. Je ne sais pas comment ça a pu se produire mais la loi est formelle, tu ne peux pas voter. Aux prochaines élections oui, quand l'erreur aura été corrigée.

– C'est toi qui as tripatouillé cette liste, insinua Roivas, de mauvaise humeur.

– Il y en a qui ne baptisent pas les enfants, et qui ne votent pas non plus. C'est comme ça. Plains-toi à la préfecture, ou téléphone à l'évêque. »

Roivas quitta le bureau furieux.

Au village, on commenta l'événement : « L'ingénieur ne se sent plus, maintenant qu'il a son usine. Et son train. Il n'a même pas laissé voter le pasteur. »

Au soir de la seconde journée de scrutin, Jaatinen ferma les portes du bureau de vote à l'heure dite. Il vida l'urne sur la table, on entreprit de compter les voix. La secrétaire de la commission électorale, Irene Koponen, notait les résultats, les membres de la commission dépouillaient les bulletins, l'ingénieur surveillait la procédure.

Deux heures plus tard, le décompte des suffrages du bourg était terminé. On avait reçu plus tôt par téléphone les résultats des autres bureaux de vote. Plus le dépouillement avançait, plus Jaatinen avait l'air satisfait. Il était particulièrement curieux de savoir combien de voix obtiendrait Jäminki. Le total fut de 22. Avec un aussi faible score, il ne retrouverait pas sa place au conseil municipal de Kuusmäki.

« Jäminki a l'air hors jeu. Combien de voix avait-il eu aux précédentes élections ?

– Plus de 600. »

On dut déclarer nuls une soixantaine de bulletins. Au lieu de n'indiquer qu'un numéro, la plupart étaient agrémentés de texte, par exemple : « Jaatinen », « L'ingénieur », « Bétons et Boues du Nord », « L'équipe de Jaatinen ». Ils furent donc tous écartés. Il y avait en outre quelques bulletins blancs. Un électeur avait aussi écrit : « Dieu nous vengera de Jaatinen. »

Son opinion fut également considérée comme nulle.

L'ingénieur compara le résultat du scrutin à sa propre liste. Il constata que les villageois avaient docilement élu au conseil tous ses candidats sauf deux. Celui qui totalisait le plus de voix était Manssila. Pyörähtälä avait aussi fait un bon score. Quand la commission électorale se sépara après le dépouillement, Jaatinen resta un moment seul avec la secrétaire de mairie Koponen.

Elle dit d'un ton de reproche :

« Tu aurais quand même pu laisser voter le pasteur. Tu l'as ridiculisé, un homme de son âge ! Tu es devenu tellement froid et dur.

– Et qui m'a refroidi ? Je vais te le dire. »

Jaatinen rappela à Irene Koponen la Saint-Jean qu'ils avaient passée ensemble voilà un an et demi. Il revint sur la manière humiliante dont elle l'avait chassé de chez elle et lui parla de la violence avec laquelle il avait été traîné au poste de police de Kuusmäki, ainsi que de son errance solitaire dans les bois après sa fuite.

« Tu ne peux quand même pas me reprocher cette rixe.

– C'est une vieille histoire, bien sûr, mais je ne l'ai toujours pas digérée, et je n'ai surtout pas digéré que tu me mettes comme ça à la porte. C'était injuste.

– J'étais dans tous mes états.

– Et moi donc.

– N'en parlons plus, s'il te plaît. Mais pourquoi fais-tu tout pour m'humilier ? Tu as dit que tu avais construit cette aile est pour moi. Peut-on imaginer pire insulte pour une femme !

– Ça n'a rien d'une insulte. Je suis tout à fait sérieux. Je t'aime toujours. Et toi, tu m'aimes ? »

La secrétaire de mairie ne répondit pas. Elle ramassa ses papiers sur la table, se leva, les rangea dans l'armoire. Puis elle alla prendre son manteau, l'enfila, se prépara à partir.

« Tu pourrais peut-être me raccompagner chez moi », dit-elle.

L'ingénieur s'empressa, lui prit le coude, sortit avec elle. Ils s'engagèrent dans la rue principale, bras dessus, bras dessous, passèrent au pied du monument à Vornanen, puis devant la maison de Jaatinen. Mlle Koponen regarda l'aile est mais ne dit rien.

En bas de chez elle, ils restèrent longtemps, une éternité, appuyés l'un contre l'autre. L'ingénieur tenait la menotte de la secrétaire de mairie, se demandant s'il oserait l'embrasser, mais non. L'instant était trop fragile.

Enfin ils se séparèrent, après s'être serrés une dernière fois l'un contre l'autre. Koponen posa un léger baiser sur la joue de Jaatinen. Il rentra chez lui le visage en feu. Leea était apparemment partie se coucher, les bébés aussi étaient endormis.

27

Le pasteur Roivas était si remonté contre Jaatinen qu'il n'était pas une seule fois allé voir l'usine édifiée sur le champ d'aviation ni le chemin de fer, malgré la curiosité qui le tenaillait. Il se refusait aussi à emprunter avec sa petite voiture noire le nouveau pont construit par l'ingénieur sur la Tuerie, et franchissait toujours obstinément la rivière par l'ancien pont de bois. Il lui faisait confiance, et le vieil ouvrage vermoulu supportait d'ailleurs encore sans mal le poids de sa Volkswagen. L'opération était cependant assez compliquée. Roivas devait en effet, pour gagner l'autre rive, tirer de côté la barrière rouge et jaune interdisant l'accès à la vieille route, avancer sa voiture, remettre l'obstacle en place et recommencer la même manœuvre de l'autre côté.

Cette habitude finit par être fatale au pasteur.

Jaatinen eut en effet vent de l'affaire. Il décida de démolir le pont, afin que l'homme d'Église ne mette pas sa vie en danger en passant par là – car un jour l'ouvrage s'écroulerait et il risquait de tomber dans la rivière avec sa voiture.

L'ingénieur acheta donc les superstructures en bois aux Ponts et Chaussées et envoya une équipe les récupérer. On transporta les solides poutres jusqu'au terrain d'aviation, où on les utilisa pour prolonger le quai de chargement. La démolition fut rondement menée, en deux jours. Le pasteur n'ayant pas eu à faire dans le secteur à ce moment-là, il ne sut pas que le pont n'y était plus.

Peu après, l'évêque du diocèse, Huhtinen, un homme de haute taille, calme et pieux, vint en visite pastorale à Kuusmäki. Roivas lui présenta sa paroisse, on fit le tour des laiteries et des sacristies, on tint des relevailles et, dans la soirée, alors qu'il faisait déjà nuit, l'on partit en voiture pour un hameau éloigné où devait avoir lieu une réunion de prière. En arrivant au vieux pont de la Tuerie, le pasteur s'arrêta, tira comme à l'accoutumée la barrière, reprit le volant et redémarra.

Mais le pont avait été démoli, la voiture se précipita avec son chargement épiscopal dans les sombres eaux automnales de la Tuerie.

Le plongeon fut terrible. La Volkswagen fit deux ou trois tonneaux dans les airs avant de frapper l'eau. Au milieu de la rivière, elle heurta une pile du pont, y resta plaquée par le courant. Les portières cabossées étaient coincées, la voiture s'immobilisa là sur le toit, les roues vers le ciel. Le moteur s'étouffa, les phares s'éteignirent. On entendait dans l'habitacle les appels au secours du pasteur Roivas et de l'évêque Huhtinen. L'eau commençait à pénétrer à l'intérieur par les interstices autour des fenêtres.

Les ecclésiastiques tentaient désespérément d'ouvrir les

portières, mais elles ne cédaient pas. L'eau continuait de couler ; assis sur le plafond retourné de la voiture, ils en eurent bientôt jusqu'au cou. Le trépas semblait inévitable, mais enfin le niveau cessa de monter, il avait atteint celui de la rivière. Les deux hommes avaient encore la tête au sec, ils se tenaient cramponnés aux sièges, au-dessus d'eux.

« Implorons le secours de Dieu », répétait l'évêque, mais le pasteur ne se joignait pas à ses ardentes prières. Il se contentait de rester assis dans l'eau, l'air sombre.

« Prie pour ton salut », lui enjoignit Huhtinen.

Mais Roivas n'obtempérait toujours pas, se contentant de marmonner des mots sans suite. Huhtinen se rendit bientôt compte qu'il jurait comme le pire des mécréants. Le pieux évêque, horrifié, réprimanda son subordonné, mais celui-ci se moquait bien, maintenant, de la dignité ecclésiastique de Huhtinen. La mort approchait, prier ne servait à rien.

L'assemblée à laquelle l'évêque et le pasteur se rendaient ne pouvait commencer sans eux. Les gens finirent par s'inquiéter. Ils téléphonèrent au presbytère, où on leur apprit que les ecclésiastiques attendus avaient pris la route depuis déjà un certain temps.

On partit à la rencontre des deux hommes afin de voir ce qui les retardait. Roivas était quelqu'un de ponctuel, peut-être avaient-ils eu une panne, voire un accident.

La voiture du pasteur n'était nulle part en vue. Les paroissiens inquiets sillonnèrent la route, une bonne heure y passa. Finalement, on appela à la rescousse le brigadier Ollonen et le chef des pompiers Jokikokko. En arrivant à la Tuerie, Ollonen eut l'idée de jeter un coup d'œil au vieux pont, il connaissait l'habitude de Roivas de passer par là. Dès qu'il eut bifurqué sur l'ancienne route, il constata avec effroi que la barrière avait été tirée de côté. Le brigadier freina en catastrophe, il s'en fallut de peu qu'il ne finisse lui aussi dans la rivière. À la lumière de sa torche, il vit la voiture noire retournée dans l'eau et entendit les prières et les jurons étouffés qui s'en échappaient.

On sonna le tocsin. Jokikokko enfila sa combinaison de plongée, entra dans la rivière, mais ne réussit pas à ouvrir les portières. Les hommes à l'intérieur de la Volkswagen étaient complètement épuisés, leurs voix étaient à peine audibles. L'eau glacée les avait engourdis, l'évêque priait faiblement.

Sur la berge, on se demandait avec anxiété comment réussir à sortir la voiture de l'eau. Il aurait fallu une grue, mais où en trouver une sur-le-champ ? Personne au village n'en avait.

Ou plutôt si. Jaatinen avait le nécessaire.

Ce n'était pas le moment de faire la fine bouche. Jokikokko et Ollonen allèrent téléphoner à l'ingénieur afin qu'il leur prête une grue.

« L'évêque et le pasteur sont dans la rivière, c'est urgent. Ils vont geler si on ne les sort pas vite de là. »

Jaatinen sauta sur sa bicyclette et pédala à toute allure jusqu'au terrain d'aviation. En chemin, il eut le temps de réfléchir un peu à la situation. Roivas était donc tombé dans le piège qu'il lui avait tendu. Mais avait-il vraiment cherché à se venger de lui, et de manière si cruelle ? En se posant la question, l'ingénieur eut un sentiment désagréable. La démolition du pont était certes une mauvaise blague, mais pas un traquenard délibéré.

Bientôt Jaatinen arriva à l'aérodrome, et il eut autre chose à penser. Il sauta dans la cabine de la grue, mit le moteur en marche, vérifia qu'il avait assez de câbles et de chaînes et partit vers le village. La grande grue à chenilles était d'une lenteur désespérante. L'ingénieur accéléra à fond, le lourd engin de terrassement se dirigea en grondant vers la lumière des réverbères du bourg. Le moteur tournait en surrégime. L'indicateur de pression d'huile était dans le rouge, le diesel supporterait-il un tel train ? Il le fallait bien. Deux hommes à l'article de la mort, pasteur et évêque, gisaient dans la Tuerie.

Enfin Jaatinen arriva au nouveau pont. Il stoppa la grue, braqua son projecteur sur la voiture tombée dans la rivière. Jokikokko alla à la nage fixer des câbles aux essieux. Le bras de la grue se leva, les filins se tendirent, la Volkswagen commença à bouger. De l'eau s'échappait par le tour des portières, la carrosserie vibrait sous les coups de poing de l'évêque et du pasteur. L'ingénieur treuilla la voiture sur le pont, où elle bascula sur le côté. Il fallut une barre de fer pour ouvrir la portière défoncée et réussir à extraire de l'habitacle d'abord l'évêque Huhtinen, puis le pasteur Roivas.

On installa les ecclésiastiques transis sur des civières que l'on chargea dans une ambulance. On les conduisit aussitôt sirènes hurlantes à l'unité d'hospitalisation de la maison de santé. On réquisitionna la plus habile masseuse du village, Senni Matilainen, afin qu'elle rassouplisse les deux hommes, d'abord l'évêque, puis le pasteur.

Dans la nuit, une fois la guérisseuse et le médecin sortis de la chambre, l'évêque Huhtinen dit au pasteur Roivas :

« À l'heure du danger, tu t'es montré faible et perfide, mon bien cher frère, tu t'es détourné de Dieu. J'ai prié et, comme tu as pu le constater, Il a envoyé un ingénieur et une grue pour nous sauver.

– Pardonne-moi ma faiblesse, répondit Roivas de son lit.

– Ce n'est pas mon pardon qu'il faut implorer, c'est celui de Dieu. Mais dis-moi, quand devais-tu prendre ta retraite ?

– Dans deux ans. Pourquoi ?

– Je te suggère de demander à être relevé de tes fonctions et de prendre ta retraite dès le mois prochain. Tu auras une pension à taux plein, et on n'en parlera plus. Tu dois quand même comprendre que je suis le chef spirituel de ce diocèse. Je ne peux pas permettre que l'église de cette paroisse soit confiée à un serviteur de Dieu prêt à abandonner sa foi au moindre péril.

– Tu es sérieux ? L'homme est faible, ne puis-je être pardonné ?

– Ma décision est prise. »

Roivas resta un moment couché en silence dans son lit. Puis il dit d'une voix ensommeillée :

« Tu es un beau salaud, Huhtinen. »

28

Le nouveau conseil municipal de Kuusmäki tint sa réunion inaugurale à la fin d'octobre. Jaatinen se joignit au public venu suivre les débats. Il s'assit sur une chaise à pieds en tube, sur le côté gauche de la salle, à une place d'où il pouvait observer sans obstacle le conseil fraîchement investi.

Comme l'on pouvait s'y attendre, Manssila fut élu maire. Les membres des différentes commissions furent nommés sans déroger aux rapports de force entre partis. Pendant la pause-café, les présidents des principaux groupes politiques vinrent serrer la main de Jaatinen. Ils lui demandèrent s'il trouvait la réunion à son goût.

« Pour l'instant je suis satisfait. »

À la reprise des débats, Pyörähtälä soumit au conseil une proposition de création d'un poste de secrétaire général de mairie.

« Jusqu'ici, nous avions pour maire l'exploitant agricole Jäminki. Il assumait aussi à mi-temps les fonctions de secrétaire général. Mais, comme vous le savez, il n'a pas été réélu lors de ce scrutin, et ne peut donc continuer d'œuvrer pour le bien de la commune. J'ai discuté avec le nouveau maire, et il m'a fait part de son souhait de s'en tenir à sa mission de représentation, sans s'occuper de tâches administratives quotidiennes. Il faut également noter que la charge de travail de la municipalité a beaucoup augmenté ces derniers temps, surtout depuis que l'on a implanté des activités industrielles à Kuusmäki et même construit un chemin de fer. La pression est telle que la secrétaire de mairie ne peut plus assurer seule la gestion courante des affaires. Je propose donc au conseil municipal la création d'un poste de secrétaire général de mairie. »

La proposition fut sur-le-champ approuvée, et le poste ouvert au recrutement.

En novembre, à la clôture du délai de dépôt des candidatures, le conseil municipal se réunit afin de choisir un secrétaire général. Un certain nombre de postulants s'étaient manifestés et Manssila présenta leurs dossiers. Avant le choix final, Pyörähtälä demanda la parole :

« Encore une chose. L'ingénieur Jaatinen m'a fait savoir qu'il était lui aussi à la disposition du conseil, au cas où ce dernier jugerait utile de lui confier le poste de secrétaire général.

– Je soutiens Jaatinen, déclara Manssila. Y a-t-il d'autres propositions ? » ajouta-t-il.

L'assemblée resta silencieuse. L'ingénieur, dans le public, fixait les élus d'un œil sévère, personne ne demanda la parole. Enfin Manssila dit :

« Puisqu'il n'y a pas d'autres motions présentées et soutenues, je considère que le conseil est d'accord pour nommer l'ingénieur Akseli Jaatinen secrétaire général de la mairie de Kuusmäki. Félicitations, cher ami. »

Le soir même, Jaatinen dévissa la plaque à son nom de la porte de sa maison, y écrivit quelque chose et la remit en place. On put dorénavant y lire :

Ingénieur Jaatinen
(secrétaire général de mairie)

29

Quand Jäminki vit le numéro de *La Gazette de Kuusmäki* où s'étalaient en première page, sur deux colonnes, la photo de Jaatinen et la nouvelle de sa nomination au poste de secrétaire général de mairie, il entra dans une rage si terrible qu'il réduisit le journal en confettis.

« Nom de Dieu ! Il a réussi à mettre la main sur la municipalité ! Je comprends maintenant pourquoi ce carotteur de millions a organisé les élections comme ça. Et il a osé m'éliminer du conseil, putain de bordel de merde... »

Jäminki poussait de tels jurons, dans sa salle de ferme, que sa bru emmena en hâte les plus jeunes de la famille dans leur chambre ; les enfants effrayés regardaient avec de grands yeux leur pépé qui s'agitait comme un chamane en transe.

« Il a d'abord soudoyé Kavonkulma, puis il a envoyé Kainulainen au diable, ensuite il s'est acoquiné avec la femme de Rummukainen et a fait chasser le proviseur lui-même de son poste, après quoi il a essayé de noyer Roivas et l'a fait mettre à la retraite... Moi il m'a éjecté du conseil municipal, mais ça ne va pas se passer comme ça, il n'a pas compris à qui il avait affaire ! Je vais lui montrer de quel bois je me chauffe, nom de Dieu, et à tout le canton par la même occasion. J'ai des terres et de l'argent, cette usine va s'étouffer dans sa propre folie, avec un petit coup de pouce ! »

Dès le lendemain matin, Jäminki se rendit au bourg, vida son compte en banque, contracta un emprunt hypothécaire de cent mille marks et alla voir avec le notaire un dénommé Kääriäinen, qui possédait une petite ferme derrière le champ d'aviation, avec des terres de part et d'autre de la voie ferrée de Jaatinen.

Il lui acheta d'autorité quinze hectares en bordure du chemin de fer, à cheval sur la ligne. Le prix était vertigineux, près de deux cent mille marks. Jäminki fit un chèque à Kääriäinen, l'acte de vente fut aussitôt signé, le droit de propriété changea de mains aussi sec.

Kääriäinen resta assis tout heureux dans sa salle, son gros chèque entre les doigts. Sa femme ne voulait pas trop y croire, mais quand il eut été au bourg encaisser l'argent, elle dut se rendre à l'évidence. Le jour même, un camion à ridelles de l'abattoir de la ville vint s'arrêter dans la cour de ferme de Kääriäinen et, les joues brûlantes d'excitation, il y fit monter les cinq vaches et le petit bétail. Il cloua des planches sur la porte et les fenêtres de l'étable, rentra dans la maison avec un large sourire, dit à sa femme :

« Emmi, nous voilà riches. À partir d'aujourd'hui, fini de travailler.

– Comme tu voudras, Kääriäinen chéri. »

Deux semaines plus tard, après avoir obtenu le relevé cadastral de son acquisition, Jäminki téléphona à l'ingénieur :

« Voilà, Jaatinen, figure-toi que j'ai acheté quinze hectares de terre à Kääriäinen. Et que cette parcelle est justement celle où passe ta voie ferrée. Le contrat de location que tu avais conclu est compris dans la vente. Je te donne congé, le préavis de six mois court à partir d'aujourd'hui. Tu vas pouvoir remballer ton chemin de fer, j'ai décidé de planter un champ d'avoine de trois kilomètres de long à la place.

– Ah ! Envoie-moi quand même la dénonciation du bail par écrit, ça me fera de la lecture », dit Jaatinen, et il raccrocha. Puis il appela son avocat à Helsinki. À l'issue d'une brève discussion, on ne put que conclure que la situation était grave. La pleine propriété de la voie ne serait transférée à la Société des chemins de fer que dans trois ans, une fois que les remises sur le fret auraient amorti les frais de construction. Pour l'instant, la voie restait donc propriété privée et il semblait difficile, pour un particulier, de tenter de lancer une procédure d'expropriation. Sale affaire. Mais il restait six mois de temps.

Jaatinen organisa aussitôt la riposte. Il mit en œuvre un plan d'aménagement et d'urbanisme couvrant les terres que Jäminki possédait au bord du lac de la Tuerie, dont il fit classer les rives en zone de loisirs. L'agriculteur ne pourrait en tout cas pas vendre de parcelles pour y construire des chalets de vacances. Mais la redéfinition de la vocation des terres que traversait la voie ferrée prendrait plus longtemps, six mois ne suffiraient pas… il fallait trouver autre chose.

« Je vais donner une très vilaine leçon à ce vieux lion », décida Jaatinen.

30

Au ministère de l'Intérieur, le directeur général des affaires communales était occupé à lire des documents accumulés sur son bureau. Apparemment, les rapports dans lesquels il était plongé ne lui plaisaient guère, car plus il avançait dans sa lecture, plus il avait l'air exaspéré. Enfin arrivé au bout, il appuya d'un doigt furieux sur la touche de l'interphone et demanda au micro :

« Qui est responsable ici des affaires de la commune de Kuusmäki, déjà ? Ryynänen, vous dites, eh bien envoyez-le-moi tout de suite dans mon bureau. »

L'inspecteur des affaires communales Ryynänen se présenta bientôt. C'était un fonctionnaire entre deux âges, à l'air têtu, dont le visage ridé par des années de zèle inspirait confiance.

Le directeur général demanda :

« C'est toi qui t'occupes de Kuusmäki ?

– Kuusmäki… ah oui, la commune de Jaatinen. Oui, c'est de mon ressort. Pourquoi ?

– La commune de Jaatinen, dis-tu ? C'est bien ce que ces dossiers ont l'air de prétendre. Il y a là un kilo de plaintes déposées par les personnes les plus diverses, jusqu'à la préfecture… il s'est apparemment incrusté à Kuusmäki un ingénieur des ponts révoqué de ses fonctions, ton Jaatinen, donc, qui a mis la commune entière sens dessus dessous. D'après ce que j'ai compris à la lecture de ces papiers, en gros, ce type est actuellement secrétaire général de mairie, sans d'ailleurs avoir aucune compétence pour le poste, mais aussi propriétaire d'une usine assez particulière pour laquelle il a même construit un chemin de fer, et ce n'est pas tout, il a trouvé moyen d'ériger un énorme monument aux rouges en plein milieu du village… qu'est-ce qu'il y avait d'autre… ah oui, il a manipulé le scrutin de cet automne pour faire élire en secret ses candidats, il a racheté le journal local, et l'an passé il avait fait des millions de bénéfices en obtenant le marché de construction du réseau de distribution et d'évacuation des eaux de la commune, et certains l'accusent même d'avoir chassé de Kuusmäki des fonctionnaires municipaux, sans compter que le commissaire serait paraît-il à sa botte. Que sais-tu de tout ça, Ryynänen ? »

L'inspecteur laissa courir son regard sur les murs et le plafond, puis dit d'un ton neutre :

« J'ai bien sûr entendu parler de choses et d'autres… mais je n'ai pas pris toutes ces lamentations très au sérieux, les ragots sont monnaie courante, et puis ce Jaatinen semble être quelqu'un d'actif, les revenus de la commune ont beaucoup augmenté depuis qu'il est là.

– Actif, c'est le mot. Mais il serait temps de tirer ce micmac au clair. Il y a quelque chose de louche, une petite commune rurale comme celle-là ne peut pas évoluer aussi radicalement en dix-huit mois. Ce qu'on va faire, c'est que tu vas immédiatement aller à Kuusmäki et étudier cette affaire de près. Ça veut dire examiner les finances municipales, la trésorerie, les délégations de pouvoir, les recettes fiscales, le programme de construction, tout ce qui peut influer sur la situation. Et tu vas te renseigner sur ce Jaatinen. Il faut voir s'il a commis des fautes professionnelles et, si jamais c'est le cas, placer cette commune sous un strict contrôle administratif et expulser ce Jaatinen de toutes ses fonctions.

– J'y vais dès le début de la semaine prochaine ?

– Tu y vas aujourd'hui même. Et arrange-toi pour mener ton inspection sans que ce Jaatinen en sache rien. S'il apprend qui tu es, il risque de cacher des éléments importants, de fausser ou d'entraver l'enquête. Tu peux y passer une semaine entière s'il le faut, mais je veux des résultats. »

Ryynänen sortit du bureau avec la liasse de documents à la main, les oreilles encore tintantes. Le directeur général lui avait à vrai dire passé un sacré savon… il n'avait pas besoin de ça. Nom d'un chien, il fallait enquêter à fond sur ce Jaatinen.

L'inspecteur fourra les documents dans sa mallette, rentra chez lui, prit dans l'armoire deux ou trois chemises blanches, une cravate à fleurs, des chaussettes de rechange, ses affaires de toilette, les mit dans un sac et prévint sa femme qu'il resterait peut-être parti toute la semaine. Puis il prit sa voiture, fila à Kuusmäki et loua une chambre au *Motel de la grand-route* en se faisant passer pour un représentant de commerce.

Après s'être lavé de la poussière du voyage, l'inspecteur Ryynänen entreprit d'examiner le dossier de la commune de Kuusmäki. Il s'endormit sur son lit sans l'avoir défait, tard dans la nuit, les papiers sur les genoux.

Le lendemain matin, Ryynänen entra en action. Il se dit que dans un petit village comme celui-ci le pasteur était sans doute le mieux placé pour le renseigner sur l'opinion publique locale et saurait en même temps lui donner un avis éclairé sur le secrétaire général de mairie Jaatinen. Mais en téléphonant au secrétariat de la paroisse, il eut la déception d'apprendre que le pasteur Roivas venait de quitter ses fonctions pour prendre sa retraite. Dommage, car il n'était pas question de déranger un retraité pour une affaire pareille, songea Ryynänen, et il raccrocha.

En bon connaisseur des arcanes municipaux, l'inspecteur décida de s'instruire en bavardant avec le maire. Il était assez courant, d'après son expérience, que les élus ne se privent pas de critiquer ouvertement les fonctionnaires locaux, et donc les secrétaires généraux de mairie.

Ryynänen mit sans problème la main sur le contremaître Manssila, qu'il invita dans sa chambre au motel.

Il lui demanda sous un faux prétexte des renseignements sur la commune, et Manssila lui en donna volontiers quand il lui eut raconté qu'il travaillait au ministère de l'Intérieur et souhaitait, à l'occasion de ses vacances, en savoir plus sur Kuusmäki. Le maire livra aussi sur Jaatinen un avis élogieux que Ryynänen transcrivit dans son mémoire à titre de premier élément de son enquête.

Après le départ de Manssila, l'inspecteur décida de faire un tour, incognito, à l'usine de Jaatinen. Il se présenta sur le terrain d'aviation à l'heure du déjeuner et se fit servir du pot-au-feu à la cantine. Il dit à quelques ouvriers qu'il était venu chercher du travail et leur demanda quel genre d'homme était le directeur général.

Ils lui vantèrent avec enthousiasme les réalisations de Jaatinen. C'était à qui lui décernerait le plus d'éloges.

Muni de ces informations, Ryynänen revint au motel et nota séance tenante les déclarations des ouvriers. Puis il téléphona au secrétaire de mairie, qui était d'ailleurs une secrétaire, si ses souvenirs étaient bons. Inutile de lui servir de fausses histoires de vacances ou autres bobards, il s'agissait juste de contrôler la situation de trésorerie de la commune.

L'inspecteur ne voulait cependant pas risquer de rencontrer le secrétaire général Jaatinen à la mairie. L'examen des comptes se fit donc dans la salle de réunion du conseil municipal.

Les finances de la commune de Kuusmäki n'avaient jamais été aussi florissantes. Il n'y avait pas de chômage, car l'usine à béton constituait un important gisement d'emplois. Les recettes fiscales avaient de ce fait augmenté, ce qui se répercutait directement sur les revenus municipaux, en même temps que le plein-emploi réduisait les dépenses sociales auparavant incontrôlables. Le programme de construction de la commune avait été mis en œuvre avec célérité sous l'égide de Jaatinen. Quand Ryynänen demanda à la secrétaire de mairie quel genre d'homme était son supérieur, et s'il ne se comportait pas par hasard parfois de manière autocratique, elle répondit :

« Je ne le connais pas personnellement. »

En disant cela, elle rougit, mais l'inspecteur ne remarqua pas son émoi, car il prenait des notes.

Ryynänen rentra au motel, téléphona à la direction générale des Chemins de fer et interrogea quelques fonctionnaires.

« Ah oui, la voie ferrée de Jaatinen… il en a réellement construit une. Il nous aurait fallu au moins trois ans, mais lui l'a fait surgir de terre en quelques semaines. Elle a été construite dans les règles de l'art et supporte le trafic lourd, la Société des chemins de fer n'a pas à se plaindre. C'est nous qui sommes redevables à cet industriel, en fait, nous le remboursons en remises sur le fret. »

On n'offrait à Ryynänen que des louanges sur Jaatinen.

Dans l'après-midi, l'inspecteur alla faire une promenade ; en voyant une vieille paysanne marcher en claudiquant à sa rencontre, il eut l'idée de lui demander ce qu'elle pensait de Jaatinen. Il aborda la pauvre femme, qui se trouvait être la veuve Reivilä, la mère du jeune borgne, et dit :

« Bonjour madame… je passe quelques jours de vacances ici… beau temps pour la saison.

– Oui, pour la saison.

– Et vous êtes du village ?

– Oui, je suis née ici, mais je me fais vieille, maintenant…

– Et comment vont les choses à Kuusmäki, à votre avis, avec le secrétaire général de mairie Jaatinen, par exemple.

– Je ne savais pas que l'ingénieur était aussi secrétaire général, de nos jours.

– Il l'est.

– Eh bien c'est une bonne chose, on aurait eu besoin d'un homme comme lui dès le départ. »

La veuve Reivilä tint ensuite un long discours sur Jaatinen, qui lui avait acheté du bois et en avait payé un bon prix ; elle avait les larmes aux yeux en évoquant sa grandeur d'âme. Ryynänen la laissa parler, non sans tenter de lui soutirer quelque commentaire désobligeant sur l'ingénieur, mais elle encensait son bienfaiteur sans réserve. Il la quitta, étonné et un peu agacé, il ne serait pas facile d'accuser le secrétaire général de mairie de fautes professionnelles ou d'abus de pouvoir.

Mais Ryynänen n'abandonna pas pour autant son enquête. Il se renseigna sur tout ce qui touchait à Kuusmäki, inspecta le pont de la Tuerie, se pencha sur l'organisation des élections municipales, se fit raconter l'histoire du monument à Vornanen qui se dressait au milieu du bourg, s'entretint avec les conseillers municipaux. Quand il s'intéressa au commissaire Kavonkulma, différentes sources l'informèrent que ce dernier s'était souvent rendu coupable de bavures, avant l'arrivée de Jaatinen, mais qu'aujourd'hui il faisait preuve de tact envers les villageois et s'acquittait de sa tâche avec toute la sérénité attendue d'un fonctionnaire de police.

L'inspecteur se renseigna également sur le proviseur Rummukainen qui, d'après les informations parvenues au ministère, avait dû quitter Kuusmäki sous la pression de Jaatinen. Il apprit que c'était en réalité le conseil d'administration du lycée qui avait incité le proviseur à démissionner, en raison de ses mœurs dissolues. On rapporta aussi à Ryynänen, sur le mode comique, que le proviseur Rummukainen, le jour de ses adieux, avait galopé dans les rues, fin soûl, avec un tétras-lyre empaillé sous le bras, et s'était battu avec la police en plein milieu du village. La scène fut confirmée par le brigadier qui avait dû donner la chasse au proviseur déjanté. Le policier, Ollonen, était un homme d'apparence sévère, avec un sens de l'humour assez particulier. Quand Ryynänen lui demanda au passage ce qu'il pensait du secrétaire général de mairie Jaatinen, et s'il le jugeait digne de confiance, il répondit :

« Sacredieu ! Je n'ai jamais vu un diable pareil ! »

Les jours passèrent. Le mémoire de l'inspecteur sur l'état de la commune de Kuusmäki et sur son secrétaire général était presque terminé. En le relisant, Ryynänen ne pouvait s'empêcher de penser que sa tournée d'inspection avait levé tous les doutes sur Jaatinen. Il n'avait pas recueilli le moindre commentaire négatif. Étonnant.

Avant son départ, l'inspecteur envisagea un moment d'interroger encore l'ancien maire, un exploitant agricole du nom de Jäminki, qui paraît-il ne s'entendait pas très bien avec Jaatinen. Mais il jugea finalement cette visite inutile, quand il apprit par la lecture de certains documents que l'agriculteur était en affaires avec l'ingénieur. Il lui avait en effet donné une parcelle à bail, derrière le champ d'aviation, pour faire passer sa voie ferrée. Il ne servait donc à rien d'aller bavarder avec ce Jäminki, qui était apparemment désireux d'encourager par tous les moyens la vie économique de la commune, en allant jusqu'à louer ses terres à l'industrieux secrétaire général. Des hommes qui entretiennent de tels rapports ne se querellent pas, l'inspecteur le savait d'expérience.

Fort de ces informations, Ryynänen quitta enfin Kuusmäki.

Au ministère de l'Intérieur, il remit son mémoire – épais d'une bonne cinquantaine de feuillets dactylographiés – au directeur général des affaires communales. Ce dernier le lut aussitôt, puis dit :

« Il semblerait que l'on doive ignorer les documents qui nous sont parvenus. Ces plaintes sont injustifiées. Mais c'est une bonne chose que nous ayons tiré ça au clair. Je n'aime pas qu'on gère les communes de manière dictatoriale ou arbitraire. »

Avec un sourire satisfait, Ryynänen regagna son bureau. Il rangea les documents concernant Kuusmäki dans son armoire, après avoir écrit sur la tranche du classeur : « Dossier Jaatinen ».

31

Il n'y eut pas de neige à Noël, cet hiver-là, ce dont les membres de la société de chasse de Kuusmäki se réjouirent : ils purent encore, à la Saint-Étienne, aller tirer le tétras-lyre dans les forêts marécageuses de la commune. Les oiseaux avaient été nourris toute l'année de grain déposé au coin des champs, on en récoltait maintenant les fruits. L'air épais étouffait les pas des chasseurs, les coqs de bruyère voletaient dans le paysage brumeux sur quelques centaines de mètres à peine à la fois, et ils n'avaient pas appris à se méfier des fusils à lunette.

Le commissaire, le brigadier Ollonen, le chef des pompiers Jokikokko et l'ingénieur Jaatinen étaient de la partie. On n'avait pas emmené les chiens, leurs aboiements auraient rendu la chasse trop facile par ce temps.

Ollonen et Jokikokko se séparèrent du reste du groupe et partirent ensemble de leur côté. Ils tirèrent deux tétras dès les premières heures de la matinée puis s'installèrent avant midi autour d'un feu de camp pour y faire du café.

Dans le reflet des flammes, les deux hommes s'entretenaient à voix basse, d'un ton sinistre. Ils parlaient de Jaatinen, et leurs propos n'avaient rien d'aimable ; ils projetaient au contraire un mauvais coup contre lui.

Ils étaient en effet assez intelligents pour s'attendre à des représailles de la part de l'ingénieur. Roivas avait été mis sur la touche, Kainulainen et Rummukainen expédiés au diable, Jäminki démis du conseil, Kavonkulma totalement maté... À quand leur tour ? Pendant les longues soirées d'automne, les deux hommes en avaient discuté, avaient endurci leur âme noire et, aujourd'hui, à la chasse au tétras de la Saint-Étienne, ils avaient décidé de réaliser leur sombre projet.

Ils nettoyèrent leurs armes, soufflèrent de la buée sur les lentilles des viseurs, séchèrent le verre, ajustèrent le tir, la joue appuyée contre la crosse.

« Je vais te le canarder, ça ne va pas faire un pli, marmonna froidement Ollonen.

– On finit notre café et on y va », déclara Jokikokko. Sa main solide caressait le bois verni de son fusil de chasse.

Jaatinen pataugeait au même moment dans une vaste clairière marécageuse, sans se douter le moins du monde du tragique scénario que l'on avait écrit pour lui ce jour-là. Trois tétras pendaient à sa ceinture, il pensait en faire de la gibelotte pour le nouvel an. Il avait un peu honte de s'en prendre à des oiseaux si beaux et si peu farouches mais, en même temps, leur chair était un tel délice... L'ingénieur fut brutalement arraché à ses pensées par un ploc dans une flaque, suivi d'une détonation. On venait de lui tirer dans les pieds !

Une balle perdue ? Jaatinen se jeta à plat ventre dans la tourbière, les coqs de bruyère lui frappèrent lourdement les reins. Un autre projectile siffla, cette fois il déchira la pile de gibier dans son dos.

Allons bon ! se dit Jaatinen. On le visait délibérément. Il détacha les oiseaux de sa ceinture, rampa entre les touffes de végétation vers un lieu moins exposé, leva la tête avec précaution. Le marécage baignait dans la brume, tout était silencieux.

De l'autre côté de la clairière, Ollonen et Jokikokko étaient couchés en position de tir près du feu de camp éteint. Ils examinaient la tourbière à travers la mire de leur lunette de visée. Jaatinen semblait être tombé, on ne le voyait plus. Le brigadier murmura :

« On dirait qu'on l'a touché, plus rien ne bouge.

– Il s'est peut-être juste planqué, fit Jokikokko, méfiant. Attendons, il a peut-être compris qu'on lui tirait dessus. »

Ils restèrent couchés là un bon quart d'heure, Jaatinen dans le marécage, la partie adverse à flanc de colline au pied d'un bouquet de sapins. Quelques tristes corneilles cendrées survolèrent la tourbière embrumée, elles poussèrent des cris moqueurs en passant au-dessus de l'ingénieur puis, à trois cents mètres de là, à la lisière de la clairière, craillèrent avec encore plus de hargne. Jaatinen en conclut que ses agresseurs se trouvaient à l'endroit signalé par les oiseaux. Il fit glisser ses jumelles hors de leur étui, les porta avec une extrême lenteur à ses yeux et examina la muraille grise de la forêt.

Pendant plusieurs minutes, l'ingénieur fixa le paysage blafard à travers les lentilles de ses jumelles, jusqu'à ce qu'il détecte dans son champ de vision un détail intéressant : derrière quelques grands sapins pointait un bout de tissu vert, sûrement une gibecière, et l'on voyait clairement se détacher dans la grisaille une bouilloire à café aux flancs noircis accrochée à un trépied couvert de suie. Jaatinen posa ses jumelles sur la mousse, porta son fusil à sa joue, visa soigneusement la bouilloire et tira. Touché.

Il reprit à l'instant même ses jumelles et, cette fois, vit un léger mouvement à l'orée de la forêt. Ollonen et Jokikokko sursautèrent à la détonation, se tournèrent pour regarder le café couler sur la cendre chaude. Jaatinen les avait repérés.

Affolés, les deux hommes se mirent à mitrailler leur proie tapie dans la tourbière, sans savoir précisément de derrière quel monticule le coup de feu était parti.

L'ingénieur tira quelques balles. Le chef des pompiers entreprit de se replier, les impacts balafraient de blanc les flancs mouillés des sapins. Le brigadier cria à son camarade :

« Ne m'abandonne pas ! Ne bouge pas, il va te voir ! »

Mais Jokikokko s'élança en courant, courbé en deux, et disparut bientôt dans l'ombre de la forêt. Ollonen resta sur place à arroser furieusement la tourbière. Jaatinen ripostait de temps à autre par un tir bien ajusté, le tronc protégeant le brigadier tressautait sous le choc.

Les coups de feu de Jaatinen se faisaient si nourris et si précis qu'Ollonen fut obligé de reculer pour se mettre à l'abri dans un creux de terrain. De là, il tira encore cinq balles vers la clairière, cette fois presque au jugé. Puis il dut cesser le feu, ses cartouches étaient épuisées.

Il cria en direction du marécage :

« Arrête de tirer, Jaatinen, je n'ai plus de munitions, je me rends ! »

L'ingénieur ordonna à Ollonen de laisser son arme dans la forêt et de se montrer, les mains sur la tête. Le brigadier obéit, le cœur tremblant, et s'avança à découvert au bord de la tourbière. Jaatinen sortit de sa cachette boueuse, ils se retrouvèrent à la lisière de la forêt.

« Vous avez essayé de me tuer, qui était l'autre ?

– Jokikokko.

– Direction le village. Prends ces tétras, je vais porter ton fusil. »

Quelques instants plus tard, on vit surgir des bois Kavonkulma, accompagné de Jokikokko tout tremblant. Le commissaire expliqua qu'après avoir entendu une fusillade du côté du marécage, il était venu en hâte aux nouvelles et avait arrêté le chef des pompiers qui courait comme un dératé dans la forêt et lui avait remis son arme sans opposer de résistance.

« Pour moi, ces tirs sont une tentative d'assassinat, dit Jaatinen. Qu'est-ce que tu en penses, toi qui es commissaire ?

– Il me semble aussi, oui, on ne peut pas appeler ça autrement. »

Ollonen et Jokikokko se regardaient en silence, puis le premier cracha au second :

« Tu t'es carapaté. Quel trouillard, nom de Dieu ! Tu devrais avoir honte. »

Le chef des pompiers n'était visiblement pas fier de lui, et le brigadier scélérat semblait aussi penaud qu'effrayé : en tant que policier, il savait parfaitement de quoi il était coupable. Il regardait le ciel brumeux comme s'il y avait cherché des circonstances atténuantes, mais l'atmosphère restait d'un gris inflexible et, désemparé, il baissa les yeux vers la mousse.

« Est-ce qu'on ne pourrait pas s'arranger d'une manière ou d'une autre ? suggéra timidement le chef des pompiers.

– Eh bien venez demain à la maison, on discutera, dit Jaatinen. Mais on a assez fait de sport pour aujourd'hui, il serait peut-être temps de rentrer au village. »

Le lendemain, Ollonen et Jokikokko rendirent visite à l'ingénieur afin de parler de ce qui s'était passé. Mme Rummukainen leur servit une pleine marmite de tétras en gibelotte, du pain et de la confiture d'airelles et remplit leurs verres de schnaps. Quand elle les eut laissés, Jaatinen dit :

« Avant de passer à table, j'ai deux mots officiels à vous dire. Vos hostilités d'hier pourraient vous valoir à chacun quelques années de prison. Mais vous ne me seriez d'aucune utilité en cabane, ni d'ailleurs à personne d'autre, alors voilà comment je vois les choses : toi, Ollonen, tu vas immédiatement démissionner de la police et venir faire les deux-huit à l'usine, sur le malaxeur à béton. Et toi, Jokikokko, tu vas renoncer à tes fonctions de chef des pompiers et d'inspecteur municipal de la protection contre l'incendie et t'occuper d'organiser à l'usine un service interne de lutte contre le feu ; et tu oublieras aussi à jamais la secrétaire de mairie Koponen. Maintenant, messieurs, bon appétit. »

Ils savourèrent la gibelotte de tétras dans un profond silence, levant par moments leurs verres de schnaps, puis, quand ils eurent assez mangé, les visiteurs s'en allèrent sans un mot écrire leurs lettres de démission à leurs administrations respectives.

32

Jäminki avait déboursé une forte somme pour acheter à Kääriäinen ses terres bordant le champ d'aviation. Mais il n'avait pas l'intention de rester longtemps endetté auprès de la banque. Il eut une idée de génie : construire au bord du lac de la Tuerie une dizaine de résidences secondaires pour les gens de la ville. Cela faisait plusieurs années qu'on lui demandait tous les étés si ces parcelles n'étaient pas à vendre. Jäminki calcula qu'il obtiendrait plusieurs centaines de milliers de marks de son village d'été. Et il en avait bien besoin, non seulement pour rembourser ses dettes, mais aussi pour la nouvelle moissonneuse-batteuse qu'il avait d'ores et déjà commandée, profitant des rabais saisonniers accordés en hiver.

Afin de tirer le meilleur profit de ses parcelles du lac de la Tuerie, Jäminki décida de construire lui-même chalets et saunas au bord de l'eau. Il retourna à la banque, hypothéqua son exploitation pour trois cent mille marks de plus et fit une superbe affaire : il acheta directement à l'usine dix chalets préfabriqués en bois, au prix d'hiver, et rit de plaisir en obtenant encore un généreux rabais. Le paiement comptant a ses avantages, dit-il à sa grande maisonnée. En février, les chalets en kit furent livrés et déposés au bord du lac de la Tuerie. On les recouvrit de bâches afin que la neige ne les endommage pas. L'agriculteur resta à attendre le printemps, un sourire narquois aux lèvres.

« Je vais récolter un bon petit paquet d'argent et mettre en même temps en panne le train de Jaatinen. Lui coller une barrière en travers des rails, nom de Dieu ! Ces imbéciles de policiers et de pompiers se sont fait avoir, mais le vieux père Jäminki a plus d'un tour dans son sac. »

L'ingénieur observait avec intérêt les grandes manœuvres commerciales de l'exploitant agricole. Il ne fit rien pour s'en mêler, mais se tint au courant de chacune de ses décisions, les réseaux associatifs remplissaient leur office.

Cet hiver-là, les dettes de Jäminki atteignirent des sommes colossales : deux cent mille marks pour les terres de Kääriäinen, trois cent mille pour les chalets et cent mille pour la nouvelle moissonneuse-batteuse. Mais des rentrées étaient en vue, et tant pis si le paiement des intérêts grevait lourdement la grosse exploitation de l'agriculteur.

Avril arriva. La neige fondit, le sol dégela. Jäminki embaucha quelques charpentiers pour édifier son village d'été et se rendit avec une pile de plans types au Bureau de la construction de la mairie. Là, on lui annonça qu'on ne pouvait hélas pas lui accorder de permis de construire.

« Comment ça, pas de permis de construire ? grogna Jäminki.

– Non, cette portion du rivage a été classée cet hiver en zone de loisirs, dans le cadre du plan d'aménagement et d'urbanisme. La municipalité a l'intention de faire jouer son droit de préemption, un jour ou l'autre. »

Jäminki faillit s'évanouir. Son visage noircit, ses oreilles sifflèrent, sa bouche s'assécha. Son cœur battait lourdement, un sang noir et épais s'accumulait dans ses cavités, l'agriculteur dut hurler pour ne pas s'étouffer à cette nouvelle.

« C'est un coup de Jaatinen, réussit-il enfin à dire.

– Le secrétaire général a bien sûr activement participé à l'élaboration de ce plan d'aménagement, comme l'exigent ses fonctions. Et vous pouvez naturellement contester cette décision, auprès de la préfecture ou du ministère, mais l'examen des recours demande un an, voire deux. Nous ne pouvons pas vous accorder de dérogation. »

Pas de permis de construire ! Jäminki rentra chez lui tout flageolant, se servit un cognac, la maisonnée comprit qu'il venait de subir un coup terrible.

Pas de permis de construire !

Jäminki se rappela qu'il avait acheté dix chalets en profitant des prix d'hiver. Il téléphona sur-le-champ à l'usine pour tenter d'annuler la vente. Mais le fabricant n'était absolument pas disposé à reprendre une marchandise déjà payée. Les maisons avaient été livrées, en plus elles étaient restées tout ce temps au bord du lac de la Tuerie sous des bâches, elles n'étaient plus neuves... pas question de revenir sur la vente, désolé.

« Comment peut-on voler quelqu'un comme ça ? » cria Jäminki dans sa ferme, et dans sa voix perçaient l'angoisse et la fureur.

L'agriculteur calcula rapidement où l'avaient mené ses activités commerciales. Il avait d'un côté six cent mille marks de prêts bancaires à court terme et de l'autre quinze malheureux hectares de forêt marécageuse incultivable, plus dix chalets en kit en train de pourrir au bord du lac de la Tuerie. D'un seul petit geste, Jaatinen l'avait poussé au bord du gouffre.

« Carotteur de millions, monstre des monstres ! »

Jäminki réfléchit. Il voyait déjà la foule rassemblée pour la vente aux enchères de son exploitation. La ferme familiale allait être adjugée pour un prix ridicule à cause de ce cauchemar.

« Eh bien non, bordel ! »

Jäminki téléphona en toute hâte à une scierie. Il se proposait de vendre une grosse quantité de bois sur pied.

La scierie n'était pas intéressée. Elle avait déjà des grumes à n'en savoir que faire... on pourrait peut-être envisager d'acheter quelque chose à l'automne, ou l'hiver prochain. Au printemps, il n'en était pas question.

Les autres scieries firent à Jäminki la même réponse. Il avait malgré tout aussi de la forêt qu'il pouvait vendre en stères, c'était une sécurité en cas de coup dur, comme maintenant. Mais comment obtenir l'autorisation d'exploiter des arbres en pleine croissance ? Et en quantité suffisante ? L'agriculteur téléphona aux autorités forestières et exposa son cas.

On lui refusa tout permis à grande échelle, au motif que ses futaies n'étaient pas mûres pour être abattues… ne connaissait-il pas lui-même l'état de ses forêts ? On pouvait bien sûr marquer une centaine de stères, on trouvait toujours ça à couper dans une exploitation de cette taille, mais pas plus.

« Cent ou deux cents stères, vous rigolez ! J'ai besoin d'en vendre plusieurs milliers ! »

En mai, on vit arriver à Kuusmäki des acheteurs de chalets venus de la ville afin de se rendre compte de l'état d'avancement de leur construction. Ils se promenèrent avec femme et enfants sur les rives printanières du lac de la Tuerie, faisant admirer le paysage à leur famille, puis allèrent à la ferme de Jäminki demander pourquoi les travaux n'avaient pas encore commencé, alors que les éléments avaient été livrés et que le sol avait dégelé.

« Hors d'ici, vautours », cria Jäminki, et il chassa les intrus de chez lui.

Mais les gens de la ville brandirent leurs quittances de paiement et exigèrent le remboursement de leurs acomptes. L'un avait versé dix mille marks d'avance à Jäminki, un autre le total du prix, cent mille.

Jäminki n'avait pas d'argent, à peine quelques milliers de marks, ça ou rien, c'était égal dans cette situation. Les acheteurs de chalets confièrent leurs créances à des huissiers. L'exploitant agricole, acculé, alla demander un nouveau prêt à la banque afin d'éviter la saisie.

Mais l'établissement financier lui refusa tout crédit supplémentaire, Jäminki pouvait s'estimer heureux qu'on ne lui réclame pas le remboursement de ces précédentes dettes.

L'agriculteur maudit ses origines modestes. C'est là qu'il aurait eu besoin d'une parentèle cousue d'or pour aider la ferme familiale à sortir du creux de la vague et à retrouver sa prospérité. Sa femme non plus ne possédait rien. Quelle idée, aussi, d'épouser une fille de ferme, alors qu'il aurait fallu pouvoir compter sur l'argent d'une riche héritière ! Et qu'avait-il bien pu lui trouver quarante ans plus tôt ? En regardant son indigente épouse, il se sentit le cœur lourd, elle était en plus devenue grosse comme une barrique. La vie et le hasard peuvent être cruels.

Il ne semblait plus y avoir un sou nulle part. L'argent avait disparu, seule les dettes régnaient sur le monde. Les lourdes échéances des intérêts des énormes emprunts de l'agriculteur tombaient avec une inébranlable régularité, et aucun plan d'amortissement ne tenait plus la route. Pendant des semaines, Jäminki se démena comme jamais auparavant, mais sans aucun résultat. L'argent l'avait abandonné, il se refusait à lui.

Dans son désespoir, l'agriculteur tenta de vendre la moitié de son exploitation. Mais aucun acheteur ne se manifesta. Il proposa cent hectares à si bas prix qu'il en avait le cœur brisé, mais ne trouva en l'occurrence aucun fermier ou investisseur fortuné prêt à lui acheter ses terres. Et ceux que le marché aurait pu intéresser étaient dans l'incapacité de payer comptant, ce qu'exigeait Jäminki.

« Je ne peux pas vendre à moitié prix et à crédit, autant tout donner. Tant qu'à faire, toute la ferme peut aussi bien partir sous le marteau. »

L'été arriva. La roue tournait de plus en plus vite pour Jäminki. Cette saison-là, il jura beaucoup, regrettant de s'être lancé dans des activités commerciales, maudissant l'hypothèque générale qu'il avait, sûr de sa force, signée en garantie de ses emprunts. Il déchirait en petits morceaux les sommations de paiement que le facteur déposait chaque jour dans sa boîte aux lettres. Il apprit que ses créanciers avaient engagé une procédure de recouvrement. L'affaire fut examinée dès la fin juin et un jugement fut prononcé, sous forme d'ordonnance d'injonction de payer. Et comme Jäminki ne disposait tout simplement d'aucune liquidité qui lui aurait permis de retarder la terrible issue, les huissiers vinrent saisir sa propriété, pour un montant total de dettes et de crédits d'environ six cent mille marks. En plus des acheteurs de chalets, la banque de l'agriculteur s'était en effet décidée à défendre ses intérêts, avait dénoncé ses prêts et s'était jointe à la meute hurlante des créanciers. Les serrures nickelées des mallettes noires des auxiliaires de justice claquèrent avec un bruit mauvais dans la salle de la grande ferme de Jäminki, qui arrachait ses cheveux grisonnants.

C'était la fin. Les ouvriers agricoles avaient été renvoyés dès le printemps, il n'y avait pas eu de semailles, la nouvelle moissonneuse-batteuse était encore dans la cour sous des bâches, personne n'avait pris la peine de la mettre à l'abri de la pluie dans le hangar à machines, et encore moins de la graisser pour la protéger de la rouille. Quand une grosse exploitation tombe, le bruit s'entend de loin et écorche les oreilles. Le bien s'écroule sous son propre poids, même les plus endurcis des spectateurs en ont mal au cœur.

Après la saisie, le commissaire Kavonkulma fit paraître dans la presse l'avis de vente par adjudication de la propriété de Jäminki, numéro d'ordre 116[1].

Quand elle lut l'annonce dans le journal, Mme Jäminki mère, incapable de supporter la vue de pareille misère, se retira dans sa chambre d'un pas chancelant pour y pleurer la perte de la ferme familiale.

L'ingénieur Jaatinen découpa le placard et le glissa dans sa poche.

« Jäminki a fait fort, mais voilà, quand on me cherche on me trouve. »

33

Jaatinen poussait le landau des jumelles sur un chemin forestier, dans la pinède derrière le terrain d'aviation. C'était une chaude et belle journée d'été, il s'était accordé un congé. Il y avait dans les bois d'autres promeneurs, venus pour la plupart ramasser des myrtilles, qui saluaient poliment l'ingénieur en le croisant.

La secrétaire de mairie Koponen était là elle aussi, occupée à cueillir des baies. Jaatinen la héla, gara le landau au bord du sentier et alla bavarder avec elle. Son panier contenait déjà un litre de myrtilles, sa bouche bleue révélait qu'elle ne s'était pas non plus privée d'en goûter. Ils s'assirent par terre, la secrétaire de mairie proposa des baies à son secrétaire général. Les jumelles s'occupaient de leur côté.

Après avoir picoré des myrtilles pendant un bon moment, Mlle Koponen prit enfin la parole. Le ton de sa voix était grave.

« Tu te rends compte que j'ai déjà trente-cinq ans ?

– Tu as encore l'air d'une gamine.

– C'est beaucoup, pour une femme.

– Quelle idée, ma grand-mère est morte à plus de quatre-vingt-dix ans et ma mère en a déjà soixante-dix ! Si tu vis aussi longtemps, il devrait te rester… environ cinquante-cinq ans.

– Ce n'est pas à ça que je pensais, mais au fait que je sois encore célibataire à mon âge.

– Pourquoi ne te maries-tu pas ? Tu ne manques pas de prétendants, belle comme tu es.

– Je me marierais bien. C'est de ça que je voulais te parler. »

Mlle Koponen se lança dans un long discours. Elle fit part à Jaatinen de ses réflexions sur sa vie, expliqua s'être sentie très seule ces dernières années, avoir en quelque sorte manqué d'une compagnie masculine… ou plus exactement de la compagnie d'un homme intelligent, rassurant, sérieux et efficace. Mais dans une petite commune rurale comme celle-ci, il n'y avait guère le choix, et elle n'avait pas trouvé chaussure à son pied. Elle revint sur son passé, ses années d'études, son enfance à Janakkala, décrivit brièvement sa situation financière, qui était stable, parla de ses passe-temps et expliqua en quelques mots, avec modestie, qu'elle était plutôt bonne cuisinière et savait tenir une maison. Jaatinen écoutait l'exposé avec intérêt, tiens, tiens ! comme il en savait peu, finalement, sur la secrétaire de mairie. Ils n'avaient jamais eu l'occasion de parler de ce genre de choses – ce qui est souvent le cas, d'ailleurs, dans l'administration municipale.

En conclusion de sa tirade, Mlle Koponen déclara sans détour :

« Je voudrais me marier avec toi. »

Jaatinen s'était bien un peu douté, vu l'entrée en matière de la secrétaire de mairie, qu'elle voulait en venir à quelque chose de ce genre, mais cette soudaine demande le prit malgré tout totalement au dépourvu. Se marier ! Un profond sentiment de bonheur bouleversa jusqu'à l'os la grande carcasse de l'ingénieur, il bondit sur ses pieds, détala au galop en direction du village. Il cria en partant :

« Je dois aller annoncer la nouvelle à Leea ! »

Jaatinen disparut dans la forêt, le bruit de ses bottes se tut, mais bientôt il revint, toujours courant, en sueur :

« J'ai failli oublier les filles », expliqua-t-il, et il fit faire demi-tour au landau, le poussa à toute allure sur le chemin sinueux, ressorts gémissants, cahotant sur les racines de pin. Il eut vite à nouveau disparu.

Arrivé chez lui, Jaatinen, ses filles sous le bras, cria dès le vestibule :

« J'ai une grande nouvelle, Leea chérie ! »

Dans la salle de séjour, il s'expliqua plus en détail :

« Koponen cueillait des myrtilles, elle m'a demandé en mariage. Qu'est-ce que tu en dis, tu veux bien ? »

Mme Leea Rummukainen prit les enfants des bras de l'ingénieur, les posa à quatre pattes sur le sol, s'assit sur le canapé, soupira.

« Irene m'a téléphoné la semaine dernière pour m'en parler. Je lui ai dit que j'étais sans doute bien obligée d'accepter, tu en parles depuis si longtemps.

– Et il y a de la place ici pour nous trois, dit Jaatinen tout heureux.

– Mais est-ce que tu es réellement obligé d'aller jusqu'à l'épouser ? »

Jaatinen réfléchit un instant. « J'ai l'impression que c'est ce qu'elle veut, un vrai mariage. »

Il assura à Leea qu'il s'agissait d'une simple formalité, d'un rituel bénin qui n'affaiblirait en rien sa position dans la famille.

« Et où est-ce qu'elle t'a demandé en mariage ? » s'enquit Mme Rummukainen.

Jaatinen lui raconta la scène. Leea déclara qu'ils devaient aller parler à Irene dans la forêt. Elle fit rapidement manger les enfants et les coucha. Le couple partit à la recherche de la secrétaire de mairie, qui était arrivée de son côté jusqu'au monument à Vornanen. C'est là qu'ils s'arrêtèrent tous les trois, en plein centre du bourg, pour se mettre d'accord. Les deux femmes se mirent à discuter d'arrangements pratiques, parlèrent rideaux, calculèrent combien de paires de draps il faudrait acheter, réfléchirent à la manière de se répartir les tâches, qui cuisinerait, qui s'occuperait des vêtements de Jaatinen. Ce dernier se tenait un peu à l'écart, comme s'il se sentait inutile, de trop. Il alluma une cigarette, essaya de glisser un mot dans la conversation, mais on ne lui prêta aucune attention.

« Je pourrais par exemple divorcer de toi dans cinq ans, Irene, sur le papier, bien sûr, et épouser officiellement Leea pour quelques années, on pourrait alterner, à l'avenir », suggéra Jaatinen. Les intéressées lui jetèrent un rapide coup d'œil et poursuivirent sans commentaire leur conversation, constatant entre autres que ce serait une bonne chose d'avoir deux femmes à la maison, la garde des enfants serait facile à organiser même si l'une travaillait.

« Je crois que je vais aller boire quelques bières au motel », décida finalement Jaatinen. Les deux femmes partirent de leur côté visiter le nouveau logement d'Irene, remarquant à peine que le chef de famille les avait quittées.

L'ingénieur s'attabla seul au *Motel de la grand-route.* Une heure plus tard, le commissaire Kavonkulma fit son apparition.

« Quelle chaleur… je peux me joindre à toi pour une bière ? Au fait, tes femmes, Leea et Irene, sont venues au bureau tout à l'heure, pour faire publier les bans. Elles ont aussi fixé la date du mariage. J'espère que ça te convient, c'est un mardi, si je me souviens bien, le 12. »

On apporta sa bière au commissaire. Il leva son verre, dit :

« Alors te voilà avec deux femmes. Félicitations, je suppose que tu as de quoi les satisfaire. Je n'en doute pas une seconde, d'ailleurs. À part ça, c'est demain qu'a lieu la vente aux enchères de la propriété de Jäminki, c'est de ça que je suis venu te parler, comment est-ce qu'on s'organise ? »

34

Le jour de la vente, la foule commença à se masser dès le matin dans la cour de la ferme de Jäminki. Il y avait là plusieurs centaines de personnes, curieux et acheteurs confondus. Le soleil brillait, les gens étaient endimanchés. Le mobilier avait été porté dehors, lits, armoires à glace, linge, buffets et barattes. Le matériel agricole avait été rassemblé devant l'étable, il y avait un tracteur, des herses, des hache-paille et la moissonneuse-batteuse neuve, sous sa bâche. On avait installé les animaux à côté, dans un enclos, les vaches meuglaient, le petit bétail s'agitait. Dans la cour, des volailles affolées couraient entre les pieds des gens, un coq esseulé, oublié sur son perchoir, poussait des cocoricos dans le poulailler.

Jäminki lui-même était carré dans un fauteuil à bascule sur la pelouse. Il avait l'air tout à fait calme, le visage serein, et se balançait doucement, bercé par le grincement familier du bois. Mme Jäminki mère était assise sur le perron, le fils qui avait fait des études, venu de la ville, s'affairait au milieu des meubles, les arrangeant pour qu'ils aient l'air à leur avantage.

Kavonkulma, investi du rôle de commissaire-priseur, fit porter au milieu de la cour la grande table de salle à manger et s'y assit. La secrétaire de mairie Koponen s'installa à un bout pour tenir la liste des objets vendus et des sommes payées.

On pouvait apercevoir dans la foule rassemblée pour l'adjudication quelques anciens habitants de Kuusmäki tels que le proviseur Rummukainen et le directeur des travaux communaux Kainulainen. Ils vinrent serrer la main de Jäminki, qui fut heureux de retrouver ses compagnons d'infortune.

« Il m'a brisé moi aussi, l'ordure », dit-il.

Dix heures sonnèrent, la vente aurait dû commencer, mais le commissaire Kavonkulma n'avait pas l'air pressé. Jäminki tira sa montre de son gousset, grogna à son intention :

« Vas-y, prends ton marteau, il est dix heures. »

Le commissaire retardait encore sa sinistre besogne. Il feuilletait nerveusement ses papiers, se levait par moments de la table, murmurait quelque chose à l'oreille de Koponen, allait faire un tour dans la cour. Il attendait à l'évidence quelqu'un.

Un moment plus tard, un cycliste apparut au bout de l'allée de bouleaux. Dans la foule, on lança à Kavonkulma :

« Le voilà, tu vas pouvoir commencer. »

Une grosse serviette de cuir dont les fermoirs brillaient au soleil était accrochée au guidon de la bicyclette de

Jaatinen. Quelqu'un se chargea de cette dernière, alla l'appuyer contre le tronc d'un bouleau. Les gens formèrent une haie, l'ingénieur s'avança jusqu'au lieu de la vente. Il serra la main de Jäminki, qui dit :

« Alors comme ça, tu es venu me dépouiller.

– Exactement. »

Kavonkulma lut d'un ton grave les notifications officielles. La foule écouta sans un murmure, les vaches dans l'enclos poussèrent quelques mugissements, quelques corneilles survolèrent la cour en se chamaillant. Elles se posèrent à l'extrémité de l'allée de bouleaux pour suivre le spectacle.

Le commissaire annonça que l'on vendrait d'abord l'exploitation, puis le matériel agricole et, si cela ne suffisait pas, le mobilier de la maison de maître.

On commença donc par les terres. Deux cents hectares, dont soixante de cultures, avec des forêts bien entretenues. Kavonkulma étala les plans parcellaires sur la table, certains se penchèrent pour les examiner.

« Deux cent mille, cria un homme en pantalon à la hussarde. »

Jaatinen s'anima. « Trois cent mille, lança-t-il.

– Trois cent cinquante, renchérit l'homme.

– Quatre cent mille.

– Quatre cent dix mille. »

Jaatinen monta sur le perron de la maison, embrassa du regard les terres de Jäminki, Kavonkulma abaissait déjà son marteau pour la deuxième fois ; enfin l'ingénieur cria du perron :

« Cinq cent mille. »

Personne ne surenchérit. Kavonkulma frappa trois coups de marteau, une rumeur parcourut le public. Le visage de Jäminki n'eut pas un frémissement, mais l'une de ses mains tapotait en rythme le pied de son fauteuil à bascule. Jaatinen fit un chèque, signa quelques papiers, Kavonkulma lui remit une liasse de documents qu'il glissa dans sa serviette. Les serrures claquèrent quand il la referma.

Le prix du domaine ne couvrait pas toutes les dettes et l'on poursuivit donc par la vente aux enchères du matériel agricole. Kavonkulma fit porter la table près de l'enclos. Jaatinen resta assis sur le perron, l'outillage de la ferme ne l'intéressait pas. Jäminki resta planté sur la pelouse dans son fauteuil à bascule, les prix qu'atteindraient les machines ne semblaient pas non plus le passionner.

On adjugea aussi le mobilier de la maison de maître. Jaatinen acheta la vaisselle, le directeur des travaux Kainulainen un lot de vieilles barattes à ribot, Rummukainen le fusil de guerre de Jäminki. Le pasteur Roivas s'enthousiasma lui aussi à enchérir et récupéra deux planches à pain.

À midi, tout était vendu. Les centaines de personnes présentes s'évacuèrent peu à peu par l'allée de bouleaux en direction du bourg, les corneilles assises sur les branches prirent leur envol. Jäminki resta seul dans son fauteuil à bascule. Jaatinen était resté assis sur le perron mais, quand les gens furent partis, il s'approcha de l'agriculteur.

« J'ai encore un marché à te proposer, dit-il.

– Je n'ai plus rien à vendre.

– Je te parle d'un troc. Aurais-tu oublié ? Tu as encore cette propriété de Kääriäinen. Je te l'échange contre dix hectares de tes anciennes terres, autour de cette maison, et tu peux même avoir l'habitation, si tu veux... Et à vrai dire je te laisse aussi ces parcelles au bord du lac, on pourrait s'arranger pour t'accorder une dérogation, pour la construction de ton village d'été, ça te remettrait à flot. Qu'en dis-tu ?

– Tu es fou, tu échangerais la moitié de ce que tu as acheté contre cette gâtine, je ne serais plus sur la paille, dans ce cas.

– Je ne suis pas fou, ni perdant dans l'affaire. Il faut que les trains puissent circuler, et je dois pouvoir les faire passer sur ma propre voie ferrée. »

Jäminki se leva de son fauteuil, les larmes aux yeux. Il se racla la gorge, passa ses doigts dans ses cheveux grisonnants, topa avec l'ingénieur.

« Je te hais, et pourtant aujourd'hui tu me sauves, et surtout ma vieille mère. Je n'ai l'intention ni de te demander pardon ni de te pardonner, mais tu es coriace, tu auras ce marécage. J'irai malgré tout m'installer en ville, je ne garderai cette propriété que comme résidence secondaire. »

Mlle Koponen et le commissaire Kavonkulma tournèrent le coin de l'étable, comme par hasard, avec des documents prêts à être signés, et la cession fut enregistrée et confirmée. L'œil humide, Jäminki s'éloigna par l'allée de bouleaux, marcha jusqu'au bourg, monta en voiture avec sa famille et s'en fut.

Il quittait Kuusmäki en homme riche, mais vaincu. Jaatinen le regarda partir, lui-même observé par le village entier. On murmura que l'ingénieur lui avait tout pris, et donné une leçon à chacun.

35

Épilogue

J'ai eu, moi l'auteur de ces lignes, l'occasion extraordinaire de me rendre un été pour affaires à Orimattila. À la station-service locale, j'ai remarqué quelques personnes descendues d'un minibus. Il s'agissait d'un homme de haute taille aux traits fatigués, de deux femmes à la beauté épanouie et d'une ribambelle d'enfants, deux jumelles débordantes d'énergie, un garçon un peu plus jeune et deux bébés, visiblement jumeaux. L'homme a fait le plein d'essence, les femmes sont allées acheter des boissons fraîches au self-service. Intrigué, j'ai demandé qui étaient ces gens. Le pompiste m'a appris qu'il s'agissait de l'ingénieur Jaatinen et de sa famille.

J'ai plus tard rencontré ce même ingénieur chez lui, à Kuusmäki. Il avait l'air fourbu mais plutôt satisfait de son sort, et ses femmes étaient absolument charmantes. J'ai été reçu dans leur maison de la manière la plus agréable qui soit. Jaatinen m'a raconté son histoire, et je l'ai consignée de mon mieux. C'est à partir de ces notes que j'ai rédigé le récit qui précède.

Que sont devenus tous ceux dont parle ce livre ?

Il y aurait beaucoup à dire sur leur vie, mais je me contenterai pour chacun d'un bref résumé :

À en croire certaines informations, le directeur des travaux Kainulainen s'est installé à Vuosaari, dans la banlieue de Helsinki, et travaille au chantier naval de Wärtsilä. Il a fondé une famille, mais vit, avec sa femme et ses deux enfants, dans des conditions de logement qui n'ont rien d'enviable. Kainulainen ne regrette pourtant pas son ancien poste à Kuusmäki, il s'est apparemment mieux adapté à la vie urbaine que bien d'autres anciens ruraux.

L'ex-proviseur Rummukainen est professeur de gymnastique au centre sportif de Vuokatti ; ceux qui lisent les journaux connaissent sa passion pour le biathlon et ses exploits d'athlète et d'entraîneur dans cette discipline. Rummukainen vit en célibataire rangé dans le centre du bourg de Sotkamo. Il fait aussi partie de l'association locale des officiers de réserve, dont il est même président.

Le commissaire Kavonkulma est toujours en poste à Kuusmäki ; il n'a pas un mot plus haut que l'autre à l'égard des ivrognes qui savent se tenir et s'efforce de régler à l'amiable les conflits dans lesquels il se trouve parfois impliqué par la force des choses dans sa mission de maintien de l'ordre. Sa main la plus lourde, habituée à distribuer des directs du droit, le démange souvent douloureusement quand le temps change, car il s'y est niché un rhumatisme tenace, peut-être par manque d'exercice.

Le brigadier Ollonen s'est fait construire à Kuusmäki une maison où il vit avec sa femme. Son travail à la chaîne à l'usine l'intéresse énormément. Il a acquis une réelle compétence dans son nouveau métier et étudie le soir la chimie du béton, dans le but de s'inscrire à l'école industrielle dès qu'il aura le niveau requis.

Le chef des pompiers Jokikokko veille à la protection contre l'incendie de l'établissement industriel de Jaatinen. Le reste du personnel a une entière confiance en lui, et le feu ne s'est pas déclaré une seule fois sans qu'il s'en aperçoive ; d'incalculables dommages économiques ont ainsi pu être évités.

Le pasteur Roivas est toujours à la retraite mais a surmonté les faiblesses de sa relation à Dieu ; sa foi s'est réveillée et il dirige des réunions de prière dans les hameaux de Kuusmäki, sillonnant la commune avec un enthousiasme rare pour un homme de son âge. On l'a même vu à Posio, Pudasjärvi et Kuusamo aux grandes assemblées estivales du mouvement puritain, où il s'est taillé une réputation de prédicateur enflammé.

L'exploitant agricole Jäminki habite à Lahti dans un lotissement de maisons jumelées, du moins pendant l'hiver. L'été, il revient dans son ancienne ferme, où il s'occupe à dicter sur un magnétophone ses souvenirs du temps passé ; les archives de la Société de littérature finlandaise lui ont décerné un diplôme d'honneur pour sa minutieuse description des mœurs de Kuusmäki, de 1916 à nos jours.

Manssila a été élu au parlement, où il se consacre à un travail législatif de fond, non seulement pour le bien de Kuusmäki mais aussi pour celui du département et du pays entier. Pyörähtälä est directeur de la maintenance de

Bétons et Boues du Nord et a épousé la mercaticienne Säviä, qui devrait accoucher d'un jour à l'autre.

Leea et Irene sont aussi toutes les deux enceintes, et plus épanouies que jamais.

Mais qu'en est-il de l'ingénieur Akseli Jaatinen lui-même ?

Lors d'une conversation en tête à tête avec l'auteur de ces lignes, il s'est lui-même décrit, à cette étape de sa vie, comme un homme heureux, à quelques réserves près.

Il n'a guère son mot à dire dans les affaires domestiques. Ses femmes décident de tout entre elles, et il trouve parfois usant de les entendre se héler sans cesse d'une aile à l'autre de la maison. Sa vie conjugale est harmonieuse mais indiscutablement fatigante. L'atmosphère de Kuusmäki paraît parfois terriblement étriquée, et il rêve de temps à autre de déménager pour s'installer dans un chef-lieu de département.

Bien que tout semble donc aller pour le mieux, l'ingénieur Jaatinen se laisse parfois aller, après avoir un peu bu, à s'épancher auprès de l'étranger de passage. Il songe sérieusement à quitter ce milieu confiné, à se frotter à de plus vastes défis ; il voudrait exercer son pouvoir sur plus qu'une commune rurale, conquérir par exemple tout un département, peut-être celui du Häme, avec ses industries, sa préfecture…

« Mais je me demande si je ne me fais pas vieux, dit-il d'un ton incertain. J'hésite à me lancer dans un combat dont l'enjeu serait un département entier, même petit.

J'en ai parfois parlé à mes femmes, elles trouvent que j'ai la folie des grandeurs. Peut-être, je ne sais pas. »

Le soir tombe, la lumière baisse. Mon autocar m'attend à la gare routière de Kuusmäki. Jaatinen m'accompagne. Par la vitre arrière du car, je le vois, dans le soleil couchant, agiter sa grande main en battoir.

À Kuikero, le 29 mai 1976
Arto Paasilinna

Achevé d'imprimer
par la Société Nouvelle Firmin-Didot
à Mesnil-sur-l'Estrée, le 16 juin 2005.
Dépôt légal : septembre 2005.
Numéro d'imprimeur : 74455.

ISBN : 2-207-25672-3/Imprimé en France.